COLLECTION PAGE BLANCHE

Ernest Pépin

COULÉE D'OR

GALLIMARD

A Alain Espiand

Je tiens à adresser mes remerciements
à madame Sylviane Telchiot pour
la traduction des mots et expressions en Créole.

© Gallimard, 1995

Chapitre un :
Un goût de rivière

Demain nous allons à la rivière !

Nannine a dit cela comme si elle avait lu dans le ciel un commandement du Très-Haut lui ordonnant d'obéir. Souvent le matin alors que la fumée d'un café chaud dissipe les rêves de la nuit, Nannine interroge le ciel avant de prendre une décision. Elle observe la forme des nuages et suit des yeux la direction du vent. Elle hume l'air pour deviner les tours que joueront le soleil et la pluie. Elle tente de déchiffrer le message des plantes encore couvertes de rosée. A en croire Nannine, les plantes sont plus savantes que nous. Elles captent toutes les humeurs du ciel et préviennent les humains de tout ce qui s'annonce à l'horizon mais ces couillons à deux pattes, persuadés que Dieu a fait l'homme à son image, ne prêtent aucune attention à la langue prémonitoire des plantes. A peine entendent-ils le chant des oiseaux et le bavardage des sources !

Si Nannine a dit cela c'est qu'elle vient d'apprendre que demain la rivière ne risque pas de faire de laides manières en charroyant tout sur son passage dans un brusque coup de colère. Autant la rivière est accueillante et hospitalière comme un soir de Noël, autant elle est traîtresse !

Le lendemain, au *pipirit*[1] chantant, je suis déjà réveillé par la peur de manquer notre excursion à la rivière. L'odeur du café se répand dans la cuisine. C'est une odeur qui m'est familière car c'est toujours elle qui ouvre les portes du devant-jour. Nannine tourne avec vigueur la manette du vieux moulin enfoui entre ses cuisses. Il fait un bruit rythmé et continu qui chasse le sommeil de la case. Parfois j'insiste tellement pour moudre le café que Nannine me laisse manier son moulin. Je sens alors sous la pression de mes doigts les grains en train d'être broyés. De temps à autre, j'ouvre le tiroir de la machine et je suis toujours déçu par le si peu de café moulu.

– Être trop pressé ne change rien au cours du temps, me dit sentencieusement Nannine.

1. A l'aube.

C'est dame Persévérance qui est la grande maîtresse de nos destinées, ajoute-t-elle.

Je tourne, je tourne, je tourne. Ça y est ! Le tiroir est plein à ras bord. Nannine en recueille le contenu avec des gestes d'orfèvre méticuleux. Elle a mis son eau à bouillir dans une casserole toute bosselée. La cafetière aux allures d'ancien combattant trône sur la table en attente de la cérémonie. Faire un bon café n'est pas l'affaire de n'importe qui ! Cela requiert un recueillement, un doigté et je crois même que Nannine prononce des paroles rituelles car elle bouge les lèvres sur des mots que je n'entends pas.

Le café coule du bec de la cafetière. Il est chaud et odorant. Il a une couleur de bois brûlé. Il a un goût. Ah quel goût ! Il a le goût du silence car nous le dégustons sans mot dire. Il a le goût de la méditation car il fait monter des pensées imprécises. Il a le goût de la vérité du jour qui s'ouvre un chemin lumineux parmi la brume et la rosée. Il a le goût de la communion car au même moment nous savons que dans les autres cases de Castel la saveur du café libère les cœurs du poids angoissant de la nuit. Il a le goût du bonheur.

Une grosse bassine en zinc posée en équilibre sur la tête, Nannine part. J'ai mis ma main dans la sienne. Nous sommes un attelage indissociable. La route sera longue pour mes jambes maigrichonnes mais pour rien au monde je ne manquerais cette aventure. Nous marchons. Nannine soliloque. Elle raconte des histoires. Elle s'emporte. Elle commente la vie. Elle allume des pétards de rires. Je n'y comprends rien. Ce sont des affaires de *grands-mounes*[1] qui ne me concernent pas. Je préfère regarder les arbres qui nous escortent. Ils semblent se déraidir pour faire tomber la *cagne*[2] de la nuit et recueillir les forces du jour.

Nous marchons. Un tulipier du Gabon lance vers le ciel le feu d'artifice de ses fleurs orangées. Un chien créole va, à petits pas pressés, se chercher une pitance dans les halliers. A moins qu'il n'ait rendez-vous avec une femelle. Les chiens créoles sont si tellement mal élevés ! Nous marchons. Le soleil commence à lever une première fournée de chaleur. Le jour est déjà une clarté et les femmes, flottant dans des robes légères, balaient leur devant-porte. De temps à autre, nous croisons un homme chaussé de bottes de caoutchouc, coutelas à l'allongée du bras, en partance vers son *habituée*[3]. Il nous salue d'une voix forte et poursuit sa route. Soudain, Nannine s'arrête devant la case de sa commère Cornélia pour prendre le plaisir d'un causer.

1. Adultes.
2. Fatigue.
3. Jardin.

– Cornélia ! oh ! Cornélia ! oh !

– *Eti*[1] ! Oh commère ! Quelle surprise ! Tu es de grand bonne heure ce matin avant que trop tard ne te barre la route ! Ah tu vas lessiver !

– Mais oui, ma chère ! Il faut propreter la vie ! Ce n'est pas parce que nous sommes des malheureuses qu'il ne faut pas enlever la crasse du malheur sur nous !

– Tu peux dire ça car ce n'est pas mentir. Moi-même aujourd'hui je vais récurer mon plancher.

– Et comment va Isidore ?

– Dodore ! Il est bien merci. Mais depuis quelque temps je trouve qu'il va trop souvent du côté de Desbonnes. Tu sais déjà pourquoi ! Il y a une bougresse là qui échauffe son sang ! Je lui ai déjà envoyé une commission pour lui faire savoir que si je la rencontre je l'écraserai comme un mille-pattes !

– N'enchaleure pas ton corps commère ! Tu connais déjà les hommes ! Rien ne va les changer ! Ils ont tout chez eux mais c'est en dehors qu'ils aiment pêcher !

– Moi-même, je n'aime pas qu'on vienne jouer dans mes dix-huit mètres ! On sait où ça commence mais on ne sait jamais où ça finit ! Regarde Firmin – le salopri ! – il a planté

1. Plaît-il !

Myrta là comme un balai derrière une porte et il est allé faire cœur-coco avec l'Indienne !

– Ne dis pas ça ! Moi qui croyais que tu n'avais aucune nouvelle fraîche pour moi ! Ou ! la la ! Donne-moi ça bien commère !

Il s'ensuit une longue conversation dans un langage codé qui dépasse ma comprenette d'enfant. Les exclamations montent comme des fusées. Des silences complices s'installent ponctués de « c'est ça alors ! ». Des indignations secouent le balai de Cornélia. Elle s'emporte, Nannine relance. Le causer est si prenant qu'elle ne sent pas le poids de la bassine sur sa tête. Je joue à l'enfant sage qui n'écoute pas les paroles des grands-mounes. Une telle hardiesse ferait honte à Nannine. Je garde les yeux baissés car ce serait une insolenceté que de regarder « amie Cornélia » dans les yeux. J'ai des fourmis dans les jambes mais il faut endurer avec calme. Les langues des commères sont comme les aiguilles des machines à coudre. Elles font des dentelles, des broderies, des boutonnières mais le plus souvent elles raccommodent la toile usée de la vie. Ouf c'est fini ! Après avoir demandé les nouvelles de chaque membre de la famille (Et Tata ? Et Robertine ? Parle-moi de Paulo ! Comment va Alicia ?), Nannine reprend sa route. Nous marchons. Le pas se fait plus vif malgré le soleil qui commence à nous mordre la peau.

Je sais que nous aurons encore d'autres haltes puisque Nannine ne saurait passer devant une maison amie sans semer une parole. Ce serait se dérespecter.

Nous marchons. Les herbes sont hautes. Le sentier menant à la rivière est plein d'embûches. Des piquants aux épines pointues montent la garde. Une pelure de mangue à l'affût d'une glissade attend sournoisement son heure. Un bœuf bien en cornes refuse obstinément de nous céder le passage. Nous enjambons une flaque d'eau. Nous chassons un vol de guêpes. Une mangouste, rapide comme une langue de feu, nous fait sursauter. Nannine, la terrine vissée sur la tête, réalise des prodiges d'équilibriste. Nous marchons. Nous déjouons tous les pièges, toutes les embuscades et enfin nous arrivons à la rivière promise.

C'est un autre monde... Bruits du charroi de l'eau. Pierres énormes émergeant du fond pareilles à des dos d'éléphant ou d'hippopotame recouverts de limon. Arbres jetant pardessus bord leurs filets d'ombre. Arbres complices tissant la fraîcheur.

L'humidité est partout. Elle arrose un carré de gazon sauvage. Elle mousse en champignons verdâtres. Elle épouse la forme des écrevisses qui se débattent dans la main. Elle habille de lianes le tronc des arbres aspirés par la lumière. Elle éclate en de scintillantes étoiles d'eau sur lesquelles le soleil vient tinter.

Monde d'eau mêlant des senteurs de pomme-rose aux odeurs d'icaques, combinant l'arôme des goyaves à celui des mangues, mariant la fragrance sucrée des *mombins* [1] aux effluves libérés par les herbes, la terre et les feuilles mortes.

La rivière ! La rivière parfois cours d'eau, parfois bassin bleu, parfois cascade, parfois maigre filet. La rivière fringante et vorace. Elle dévore inlassablement les rives en laissant voir par endroits la terre rouge, comme une saignée. Les galets bousculés protestent avec des bruits de claquettes. La rivière et son fracas. Pao ! Pao ! Tourbillons, boucles d'écume, remous et sillons.

N'éveille pas la colère de la rivière ! Elle est sans miséricorde dans sa charge de taureau furieux.

D'abord de petites feuilles descendent en tourbillonnant. Des petites feuilles fofolles soumises aux caprices de *maman-dlo* [2]. Des brindilles affolées, orphelines, chassées de

1. Variété de prunes.
2. Sirène malfaisante.

leur gîte, emportées par le courant. Puis l'eau à gros bouillons emporte des squelettes d'arbres tendant leurs doigts crochus en un ultime appel de compassion, des branches cassées dématées avec leurs os rompus. Les feuilles se froissent de désespoir. *Mézanmi dlo ka monté*[1] !

Ça monte, ça monte, ça monte, boursouflant le rivage, happant d'une gueule goulue les flancs rouges qui s'effondrent en diluant leur sang. Eau plus épaisse, eau plus lourde, eau plus furieuse. Canonnades de pierres décrochées. Le pont, prêt à céder, manœuvre une résistance vaine. Un bœuf plonge et replonge. Ses yeux fixent la mort et ses beuglements sont couverts par l'apocalypse de l'eau. Un ronflement énorme, un déferlement de matières broyées.

C'est une éruption d'eau. Les nappes d'écume forment d'immenses crachats qui tournent en rond, qui se déchirent et vont se recoudre plus loin en dentelles blanches sur l'eau jaunâtre. Eau qui monte et s'encombre de toute la lessive de la montagne. Eau qui déborde, colmate les échancrures, creuse et remodèle son lit. Maman-dlo en sa toute-puissance. Les hommes épouvantés n'ont que ces mots dérisoires à la bouche :

1. Mes amis, l'eau monte !

– *Dlo ka monté ! dlo ka monté !*

Aujourd'hui les démons de maman-dlo sont endormis et la rivière est paisible. Elle babille doucement en se laissant bercer par le chant des oiseaux. Le plus connu est le *tchyo*[1] dont j'imite le cri en soufflant dans mes deux mains refermées en forme de conque. Nous aimons l'effrayer en lui lançant :

– *Tchyo ! Manman ou mo*[2] !

Il décolle alors avec un grand bruit d'ailes.

Nannine rejoint les autres femmes. Elles l'accueillent avec des mots de bienvenue. L'une d'elles l'aide à se défaire de son fardeau. La terrine est par terre et Nannine peut en sortir le contenu (savon de Marseille, bleu de lessive, feuilles de lavande, gamelle pour le repas). Elle ne se fait pas prier pour plonger dans le bavardage qui est en train. Pas un homme aux alentours. La rivière, en ce jour de lessive, est le royaume des femmes et la providence des enfants.

J'écoute attentivement les recommandations de Nannine sous le regard attendri des autres femmes. Ne pas pousser trop loin mon vagabondage. Ne pas plonger n'importe où. Attention aux guêpes. Trop de goyaves entraînent des constipations douloureuses. Ne

1. Héron des Antilles.
2. Tchyo ! ta mère est morte !

pas provoquer les bœufs. Elle conclut par une phrase que je connais par cœur :

– Ne me procure pièce désagrément !

Je me suis déjà envolé vers la turbulence des autres marmailles.

A nous la rivière ! Il y a tellement à faire ! D'abord s'habituer à la fraîcheur de l'eau en commençant par la tête pour éviter une congestion. Un signe de croix n'a jamais tué personne. Ensuite se laisser glisser et s'abandonner pour mesurer la force du courant. Enfin nager à contre-courant pour se déraidir les muscles. Tout cela au milieu des cris, des quolibets, des provocations et des défis. Nous allons plonger dans le bassin. Chacun son style. Hormis Félix qui exécute d'audacieux sauts périlleux, nous avons des méthodes assez grossières. Nous courons et nous sautons dans le vide tels des *bwa-bwa*[1] désarticulés. Tyouboum ! Une gerbe d'éclaboussure et de rires signale notre pénétration dans l'eau. Certains tombent sur le ventre et se font mal. Ils n'osent pas pleurer car nous les traiterons de chignards. Les yeux deviennent rouges. Les peaux de toutes les couleurs se couvrent d'une pellicule grisée.

Ce que nous aimons par-dessus tout, c'est taquiner les ti-filles. Tirer les nattes. Jouer au

1. Pantins.

sous-marin en pinçant leurs cuisses ou en touchant leur sucre d'orge. Mais gare à celui qui se laisse attraper ! Elles te font boire de force en te plongeant la tête sous l'eau. Nous mentons sans vergogne sur leur vertu. Je lui ai fait ci ! Je lui ai fait ça !

Des parfois ce n'est pas menterie. Il arrive que, délaissant le bain, les plus grands aillent faire un tour sous prétexte de cueillir des icaques et se retrouvent avec une « chair » en train de douciner l'amour. Nous, les petits moignons d'homme, malgré les interdictions de les suivre, nous partons à leur recherche pour les *macoter*[1].

Dans ces moments-là je pense à Mayou. Elle n'est pas avec nous à la campagne. Elle fait partie des grandes figures du Lamentin à cause de son père qui n'est rien moins que M. le maire ! Je me contente d'imaginer qu'elle a pris la forme d'un nuage et qu'elle répand une fifine caressante sur mon corps. Ceux qui m'appellent pour la pêche aux écrevisses perdent leur temps. Ni Gros-Mordant, ni Kakado, ni Grand-Bras, ni Roi-des-Sources ne me feront quitter la doucine de mon rêve.

– Nous entendons l'appel de nos mères. Il est l'heure du repas. Par petites bandes nous convergeons vers elles. Chacun partage son

1. Espionner.

manger avec tout le monde. Je m'installe sur une grosse pierre couverte par un ombrage et j'enfourne un délectable colombo. Hosanna au plus haut des cieux ! Qui ne connaît pas cette faim particulière que donne la rivière ne peut comprendre combien un repas peut être la pulpe succulente du bonheur. Saveur du pain ! Saveur du colombo ! Saveur d'une pomme-cannelle ! O saveurs !

La sieste n'est qu'un abandon de plus. Dormir d'un sommeil d'enfant comblé... Dormir pour dorloter l'engourdissement provoqué par le repas... Dormir sans escale... Dormir...

Le soleil vacille dans les bras d'un ciel apaisé. Une sorte de mélancolie s'empare du monde de la rivière. Nous aidons à plier le linge. Les doigts de Nannine sont blêmes à force d'avoir frotté et rincé. Le linge tiède a gardé l'odeur du soleil, du savon de Marseille et de la lavande. Nous plions le tout soigneusement mais je sens bien que ce que je mets dans la bassine c'est la fin d'une belle journée...

Chapitre deux : Présentation de la tribu

De retour à la maison nous retrouvons les autres membres de la tribu. Je me demande comment une si petite case peut abriter tant de monde. Il est vrai que nous passons le plus clair de notre temps dehors à inventer mille et une espiègleries et que la case ne nous sert qu'à reposer nos corps exténués. Lorsque Nannine reçoit la visite d'un parent elle nous appelle pour faire les présentations avec l'orgueil d'un chef de tribu exhibant ses guerriers.

Le plus grand c'est Rosan. Il a les cheveux roussis par le soleil. Il s'avance avec un sourire rusé derrière lequel il cache les diaboliques inventions de son cerveau. Nous plonger dans les affres de la peur le passionne. Il se déguise en *soucougnan*[1]. Il coupe en traître la corde de notre balançoire bricolée sur les

1. Humain transformé en boule de feu.

branches d'un manguier. Il nous invite avec une voix sirop-miel à aller chercher une orange qui a roulé tout près d'un nid de guêpes. Contrairement à nous tous, Rosan s'enorgueillit d'avoir un nez pointu c'est-à-dire, insiste-t-il, un nez de Blanc-France ! Pour l'affiner davantage Rosan pétrit son nez toute la journée. Il nous explique qu'à force, à force, il atteindra la perfection d'une beauté interdite aux Nègres. Moi aussi, en cachette, je tire sur mon nez pour l'allonger. Je le presse pour le rendre plus étroit mais le miroir me renvoie toujours l'image d'un bout de chair rond où s'élargissent deux trous sans pitié pour mon fantasme.

Auprès de Rosan se tient Josia, notre merveilleuse cousine. Josia c'est une vraie *désordière*[1] ! Elle rit tout le temps et elle rit de tout. Voit-elle passer une femme à gros ventre qu'elle nous appelle pour entonner un chœur de moqueries. Un homme *grainé*[2], titubant sous une charge de rhum, fait son bonheur. Elle l'interpelle ironiquement :

– *Bonjour mussieu Maximilien !*

– *Bonjour pitite !*

– *Es ou pa sav ola an pé acheté on bon boutey wonm pou Réache*[3] ?

1. Taquine. Personne qui aime troubler la quiétude d'autrui.
2. Ivre.
3. Dis-moi où je peux acheter une bonne bouteille de rhum pour Réache ?

– Yo ka vann wonm an tout boutik[1] !

– *Mé non, mé non, an té ké vlé model wonm la ou bwé la. An ka vwé i ka fè-w byen tou bonman*[2] !

– *Gadé mwen, ti séléra ! Ay lavé tyou a-w èvè wonm la olyé ou anmerdé mwen*[3] !

Josia nous est très précieuse car c'est elle qui sert de cobaye lorsque nous jouons au docteur. Sous prétexte de lui administrer des piqûres, nous pétrissons ses fesses, nous regardons (et parfois nous touchons) sa *chobolotte*[4]. Cette complaisance lui permet d'exercer un véritable chantage sur nous. Si tu dis ça à Nannine, je ne vais plus jouer au docteur avec toi ! Aussitôt nous amarrons nos bouches sur le secret...

Camille, dit Ti-Cam, fait figure de petit *madjonjon*[5]. Non seulement il est jeune mais encore il n'a pas de corps hormis une grosse tête couverte d'un emmêlement serré de cheveux raides. Chaque matin, la séance de coiffure que lui inflige Nannine est un vrai spectacle pour nous. Ti-Cam hèle *anmwé* comme un supplicié dès l'approche du peigne. Il se débat en transformant ses yeux en deux lueurs

1. Il y a du rhum dans toutes les épiceries !
2. Mais non, je voudrais la marque de rhum que tu bois. Elle te réussit, tu sais !
3. Espèce de petite morveuse ! Va te laver où je pense avec du rhum et cesse de m'emmerder !
4. Sexe.
5. Qui n'a pas encore la considération des aînés.

d'imploration. Il se tortille, gigote et parfois réussit à s'échapper. C'est alors que nous organisons une véritable chasse à l'homme pour ramener le récalcitrant au pied de sa croix de souffrance. Ti-Cam est un martyr du peigne et lorsque enfin le visage boursouflé de larmes il sort des mains de Nannine, il doit affronter nos sarcasmes. Ti-Cam tête grainée ! Ti-Cam prête-moi le *jex*[1] que tu as sur la tête ! Plus il trépigne et rentre en crise, plus nous rions !

– Ces trois-là, ce sont ceux de Jeannette, précise Nannine à l'attention de son visiteur.

Elle tombe maintenant sur le groupe des *chabens*[2].

– Ce sont les petits d'Ernest.

Il y a moi-même l'aîné, amoureux transi de Mayou pour vous servir. Faux sage, faux calme toujours prêt à s'embarquer dans toutes les aventures. Un rien aristocrate et considérant les autres timounes comme du caca-bœuf. Bon élève, bon fils obsédé par l'En-France où mon père, je ne sais pour quelle raison, mène sa carrière d'enseignant.

Il y a Guy-Claude. Ah Guy-Claude, mon frère ! Il a commis l'insolenceté d'être aussi grand que moi, voire un rien plus grand.

1. Paille de fer.
2. Enfants de race noire à la peau claire.

Dieu n'aurait jamais dû permettre une injustice pareille ! Comment corriger votre petit frère lorsqu'il est plus costaud que vous ? C'est une énigme qui me préoccupe en particulier les jours de bagarres fraternelles. Heureusement pour moi, Guy-Claude n'abuse pas de sa force, surprenante pour son âge et problématique pour moi. Il me concède une vague autorité morale parce que je suis l'aîné et souvent, ma diplomatie aidant, l'honneur est sauf. J'ai tout de même une supériorité : je suis bien meilleur que lui dans les affaires de calcul, d'histoire, de géographie, de dictées que notre mère affectionne tant. Mais contre deux bons coups de poing ni l'accord du participe passé, ni deux et deux font quatre, ni même Vercingétorix s'est rendu à Alésia ne sauvent la mise. Guy-Claude c'est Samson ! Un Samson vorace, toujours affamé. Je négocie avec lui des parts de goûter contre un peu de paix, des *sikmant*[1] contre le transport d'un seau d'eau. L'un dans l'autre, nous arrivons à des accords équitables.

Enfin, il y a Thérèse rebaptisée Megzo à cause de son corps quelque peu squelettique. Thérèse c'est ma complice, ma préférée et ma servante. Sur elle s'exerce sans contestation guy-claudesque mon droit d'aînesse. N'allez

1. Bonbons à la menthe.

pas voir là un quelconque abus de pouvoir puisque Thérèse est consentante. Je suis son grand frère. Un point c'est tout ! Elle va, sur mon ordre, vérifier si Nannine dort, avant que nous n'exécutions un coup pendable. Elle peut mentir sans ciller pour nous éviter une raclée. Elle peut cirer mes chaussures du dimanche. Rien n'étant gratuit en ce bas monde, Thérèse gagne ainsi l'énorme privilège de partager nos jeux de garçons. Elle fait office de gardien de but. Elle grimpe aux arbres. Elle nous accompagne à la chasse aux *anolis*[1] ou aux oiseaux, etc. Je n'ai jamais vu Thérèse avec une poupée et pour ma part j'oublie souvent que c'est une fille. C'est ma petite sœur et cela me suffit.

Nannine a fini les présentations. Nous avons d'autres cousins et cousines mais Danielle, née de tante Marguerite, traîne encore dans le monde insignifiant des bébés. Georges et Max, de tante Rhéa, suivent en Afrique, en Allemagne, en France un père militaire de carrière dont l'uniforme, exposé sur des photos sévères, nous fait rêver. Assurément il n'occupe pas le grade de garde-caca comme M. Timoléon le garde champêtre ! Il doit se situer aux approchants du général de Gaulle dont la moustache comique s'étale sur une affiche vénérée par Nannine.

1. Variété de petit lézard vert.

Le tableau ne serait pas complet sans Réache !

Notre grand-père. Réache, ainsi l'appelons-nous, est une légende vivante. Dans une Guadeloupe où beaucoup n'ont même pas vu la poussière de Basse-Terre (notre capitale, oui !) et ignorent les langues de terre que sont la Désirade, les Saintes ou Marie-Galante, sans compter Saint-Martin et Saint-Barthélemy, Réache a enjambé les grandes eaux de la mer ! Il est allé creuser le canal de Panama et il est revenu avec une balle dans le dos que pièce médecin n'a pu lui enlever. Notre grand plaisir c'est de caresser, lorsqu'il est de bonne humeur, la petite bosse que dessine la balle tout près de sa colonne vertébrale. Une vraie balle ! Tirée par un vrai revolver ! Existe-t-il preuve plus valeureuse de son héroïsme ? Beaucoup de vieux-corps des alentours délirent sur des guerres d'En-France – la guerre 14-18 – mais j'avais beau regarder, ils n'avaient pas la moindre petite écorchure...

Je croyais qu'il y avait des modèles de guerre différents. Selon la nature du conflit on utilisait le 14-18 ou le 39-45 et il m'arrivait de dire à Guy-Claude :

– Je te déclare une guerre 14-18 et si ça ne suffit pas je monterai jusqu' au 39-45 !

Une grande longueur de Nègre aux épaules

larges et aux sourcils broussailleux, tel nous apparaissait Réache dans la splendeur de son grand âge. Il nous impressionnait par mille bizarreries. Ainsi il nous envoyait quérir des lots de piments rouges qu'il mangeait comme des sikmant. Ou bien il faisait provision de roches pour bombarder les chiens errants. Ou bien encore il se nourrissait avec délectation de *corned-beef*. Dans son créole, des mots espagnols ou anglais scintillaient comme des pépites ramenées d'un fleuve d'errance. *Boy, pan, boy, nigger, hat, sugar cane, factory*, etc. Alors que tant d'enfants n'avaient comme seul lointain que la ligne de crête de la montagne surplombant Castel, nous, nous flottions sur le canal de Panama après d'immenses bordées dans les ports de la Caraïbe.

– Réache oh !

– *Ka zot want anko*[1] *?*

– C'est Josia qui dit...

– *Que dices Josia ?*

– Josia qui dit comme ça que tu nous bailles des *baboules*[2] et que tu n'es jamais allé plus loin que la route de la Traversée, du côté de Pointe-Noire...

Nous avons délégué Thérèse pour proférer de pareilles énormités, car des parfois Réache a des réactions brusques et il peut d'une main

1. Qu'est-ce que vous voulez encore ?
2. Contes à dormir debout.

furieuse allonger un coup de canne sur ton dos. Bien cachés de l'autre côté de la cloison, nous attendons la suite des événements.

– Ah ! elle a dit ça ! *Sé li ki sav*[1] !

Réache plonge dans un silence désespérant pour nous. Thérèse, megzo mais têtue, relance son attaque :

– Réache oh !

– Ah Miss Thérèse, *lésé mwen trankil*[2] !

– Josia m'a dit comme ça que si tu avais voyagé tu aurais plein d'histoires à nous raconter.

– Je vous ai déjà raconté comment, armé d'un pan, j'ai mis en déroute une bande de voleurs dans un train et je vous ai déjà raconté l'histoire du zombi haïtien. Je vous ai déjà raconté...

Jouant le tout pour le tout, Thérèse affecte une déception pleurnicharde.

– Deux ou trois petites histoires, longues comme une queue de souris. Ah non ! Ça ne compte pas ! Nannine connaît beaucoup plus de contes que toi !

– Mais je ne raconte pas des contes, mes histoires sont vraies ! *Tonnan di so*[3] !

– Comment je saurais qu'elles sont vraies puisque tu ne les racontes pas !

1. C'est elle qui sait !
2. Laissez-moi tranquille !
3. Tonnerre de sort !

Réache, connaisseur du connaître de nos ruses, feint une indignation.

– *Di Josia rakonté-w*[1] !

La main sur la bouche, nous étouffons nos rires. Thérèse caresse la tête de Réache. Elle lui gratte le dos. Elle l'embrasse. Elle le cajole en suppliant.

– Eh oui Réache ! Raconte-moi ! Eh oui !

Vaincu, le bagarreur du canal de Panama, demande de nous appeler tous. Et il commence...

– Est-ce que vous connaissez zenfants l'histoire de Pedro de Santo-Domingo ? Bien sûr que non car vous habitez en des terres où l'horizon n'est pas plus grand que le cercle étroit d'un verre à lampe. Un monde où les pauvres bougres s'imaginent que le monde finit là où s'arrête leurs *coco-zyeux*[2]. En vérité, moi Réache qui ai traîné mon corps loin, bien au loin de tout ce que votre comprenette peut comprendre, je peux vous dire et témoigner que nous ne sommes pas le monde. Nous ne sommes qu'un cil de l'œil du monde et il suffit que le monde batte des paupières pour que nous devenions les fils et les petits-fils de la *tremblade*[3]. Eh oui ! Mais moi Réache, je peux frapper mon estomac et héler bien fort qu'au-

1. Demande à Josia de te les raconter !
2. Globe oculaire.
3. Tremblements provoqués par la peur.

cune tremblade ne m'a jamais pris pour compagnon. Même en plein cœur de l'enfer du canal je suis resté un Nègre vaillant, raide au marteau, *dwet kon piket*[1] ! J'ai regardé bien en face toutes les macaqueries de la vie et toutes les séduisances de la mort. Et parfois, je me demande jusqu'au jour d'aujourd'hui si la mort, elle-même, n'a pas peur de moi. J'ai chaviré veine et déveine. J'ai *dépotcholé*[2] des malfaisants. J'ai mangé avec le diable en personne mais jamais je n'ai vécu une histoire aussi troublante que celle qui m'est arrivée en revenant du Panama. Il y a courir et il y a la lassitude de courir. J'ai senti un jour l'appel du pays natal.

Or donc, je me trouvais sur un bateau en revenance du Panama, trop heureux d'avoir emporté avec moi la peau et les os de mon corps, lorsque j'ai commencé à siffler un air enfoncé dans ma mémoire à la suite de mes *bankoulélés*[3] au-delà des eaux, en l'autre-bord d'ici-dans. Faut dire que la brise chantait avec moi et qu'une douceur enveloppait mon corps comme qui dirait un châle de femme. La mer secouait molle sa jupe dans l'embellie et nos cœurs tremblaient de joie comme une frissure dans une poêle à frire. D'où mon sif-

1. Droit comme un i !
2. Démantibulé.
3. Pérégrinations.

flement avec trilles, roucoulades et tous les dièses de la gamme du bonheur.

Réache commença à siffler une chanson dont le rythme se rapprochait du *méringué*[1]. Pour de vrai, siffler pouvait l'appeler maître ! Nous écoutions, fascinés, les notes allègres qui sortaient de sa bouche comme des bulles de savon. Elles montaient claires et limpides, irisées et aériennes et elles nous conduisaient dans ce monde inconnu que seuls ses yeux avaient sondé jusqu'en dedans du dedans. Uniquement M. Jo avec ses flûtes en bambou pouvait exceller à ce point à décrocher notre âme...

En entendant cette chanson, un marin, grand Nègre rouge aux larges épaules de docker, me héla :

– Oh là ! Toi ! Oui, toi-même ! Est-ce que tu sais d'où qu'elle vient cette chanson que tu siffles si gaillardement ?

– Je l'ai entendue quelque part sur un chantier du Panama. Qu'est-ce qu'elle a de particulier ?

– Ah bon, tu ne sais pas ! Ne pas connaître est mauvais pour l'homme ! C'est la chanson de Pedro de Santo-Domingo !

– Pedro de Santo-Domingo ? Inconnu au bataillon ! Quel bougre est-ce ?

1. Rythme originaire de Saint-Domingue.

– Malheureux zéro devant un chiffre ! Pedro de Santo-Domingo ! On prononce son nom avec respect et plus même ! C'est la terreur de Saint-Domingue, le buveur de sang des riches quartiers, l'homme qui marche bras dessus, bras dessous avec la mort. Le...

– Mille excuses *señor* mais son nom n'est jamais arrivé jusqu'à moi. Et pourtant je connais des noms...

– Chuuut ! *Callate !* Peut-être qu'il a des oreilles amies dans les parages. Il en a partout...

Puis, s'apitoyant sur mon ignorance et voyant dans mes yeux une demande muette, une envie de connaître, il me prit par le bras pour m'attirer à l'écart afin de dérouler devant moi la tapisserie des hauts faits de Pedro.

– Zenfants, on vous remplit la tête avec des histoires de Vercingétorix, de Roland de Roncevaux, de Bayard le chevalier sans peur et sans reproche mais vous seriez secs comme une mare brûlée par le carême si vous deviez chanter les exploits de Pedro de Santo-Domingo.

Zenfants, Pedro n'était pas un de ses modèles de *ti-bougres sans graines*[1] qui se prennent pour des hommes parce qu'ils ont

1. Homme sans courage.

une figure d'homme. Non ! Pedro c'était l'orage et ses éclairs, la fumée en torche, l'étincelle née de la poussière des volcans, le feu dans le *bois-cacao*[1] et surtout la cruauté ! Une cruauté sans manman et sans papa, sans commencement ni fin ! Sang de serpent, sang de tigre, sang de caïman rentraient dans la composition de son sang d'homme et il faut se demander s'il n'avait pas une arrière-famille vampire.

Guy-Claude, ébloui par toutes les formes de la grandeur, fût-elle sauvage, jubile. Il tète les paroles de Réache en manière de *sirop-batterie*[2]. Rosan ricane et en passionné de western imagine une variété de Buffalo Bill ou de Kit Carson. Thérèse et Josia sont pétrifiées. Moi, je fanfaronne pour me donner du cœur. Au fond de moi je sens ma moelle fondre comme une tablette de chocolat oubliée sous le soleil.

Réache, terrifiant derrière ses gros sourcils en boules de coton, poursuit impitoyablement.

– Faut dire, depuis timoune il jetait déjà un regard froid et brûlant comme une lame de couteau. Un regard qui vous arrête, blip, d'un seul coup et qui vous serre comme les griffes de Lucifer. Quand il plantait ça dans vos yeux

1. Cacaoyer.
2. Sirop qui intervient dans la fabrication du sucre de canne.

il se dégageait de vous une odeur d'encens et de bougies de veillée mortuaire.

Inutile de dire qu'à quinze ans il connaissait déjà la renommée d'un héros national recherché par la police et protégé par les petites gens auxquelles il accordait les faveurs de mille gâteries. « Mon armée c'est le peuple ! » aimait-il à répéter dans un grand éclat de rires qui vacarmaient comme un roulement de tonnerre.

Il ne respectait que sa mère aux oreilles de laquelle il venait se confesser après chaque sang versé. Elle lui baillait toujours sa bénédiction en priant Dieu de l'épargner...

Des bruits couraient. On affirmait l'avoir vu galoper sur les toits des maisons pour échapper à la meute de chiens collée à ses trousses. On certifiait l'avoir vu boire du sang de bœuf, de cheval ou de mouton pour reprendre des forces. On laissait entendre qu'il lui suffisait de dessiner un bateau par terre, d'y mettre les deux pieds pour prendre disparaître. Combien de grands propriétaires se retrouvèrent ridiculisés, fouettés, assassinés par Pedro de Santo-Domingo ! Combien de malheureux louèrent sa générosité !

Par exemple un jour il rencontre une *femme-bitation* [1] lourdement chargée qui se direction-

1. De la campagne.

nait vers le marché de la capitale. La femme sachant que de nombreux chemins sont des attrapes et se voyant accompagnée contre son gré avala deux ou trois boules d'angoisse avant de trembloter quelques mots :

– *Ay, misyé !* J'espère que vous n'avez aucune mauvaise l'intention à mon égard. Je suis une malheureuse qui fait quatorze kilomètres pour aller vendre sur le marché. Mon corps est déjà usé par neuf grossesses ! Je n'ai rien à donner !

– Calme-toi la mère ! Dépose ta peur ! Comment t'appelles-tu ?

– *Anita, missyé !*

– Anita, tu parcours cette distance tous les jours ?

– Tous les jours que Bon Dieu ouvre, *misyé !*

– Anita, quel est ton souhait le plus cher ?

– Un collier d'or pour mon cou, un âne pour mes reins et un peu d'argent pour agrandir ma casita !

Pedro de Santo-Domingo poursuivit son chemin après un au revoir chaleureux. Le lendemain matin la femme-bitation trouva devant sa porte un collier en or, un âne et une bourse grosse comme l'hernie du père Abel. Un simple billet désignait le bienfaiteur :

Mon armée c'est le peuple !
signé : Pedro.

Vous comprenez pourquoi la vénération des pauvres était sa compagne la plus fidèle !

Pendant quelques années, un siècle pour certains, un temps long comme une queue de puce pour d'autres, il s'évapora dans une disparition subite. Beaucoup de ses proches furent arrêtés, torturés et souvent exposés morts pour servir de viande à chiens et à crabes. D'aucuns prétendaient que sa chair pourrissait en charpie dans la même prison où logeait Al Capone. D'autres affirmaient qu'il quémandait son pain aux chiens dans une bourgade espagnole. La plupart n'osaient même pas essayer de deviner l'endroit où il se trouvait. Des marins et toutes qualités de voyageurs se vantaient de l'avoir croisé dans l'une ou l'autre des îles de la Caraïbe. En finale de compte on chuchota la nouvelle de sa mort en faisant un signe de croix.

Seule sa pauvre mère se tenait à l'écart de tout ce monter-descendre de paroles qu'elle jugeait aussi légères et inutiles qu'un pet de rat. Elle sentait qu'il n'était pas mort. « Sinon mes entrailles me l'auraient dit », ajoutait-elle afin de clouer le bec aux crédules.

Si bien que, uniquement pour tisonner la

police, de temps à autre, une inscription rouge sang dégoulinait sur les murs de la ville : « Pedro de Santo-Domingo viendra nous libérer ! » Les autorités organisaient des brigades d'effaceurs encagoulés. Des escadrons patrouillaient et fouillaient la noirceur de la nuit. Les inscriptions narguaient les officiels à la grande joie des pauvres. Il fut interdit de vendre ou d'acheter de la peinture rouge et d'une manière générale toute personne affichant un goût pour le rouge devenait suspecte de sympathie à l'égard de Pedro de Santo-Domingo. Les femmes de la haute boudèrent leur rouge à lèvres. Les fleuristes déconseillaient à leurs clients l'envoi de fleurs trop rouges. Les flamboyants furent déclarés ennemis publics. Malgré toutes ces mesures les inscriptions croissaient et se multipliaient d'une manière toute biblique.

Après l'apparition de chaque inscription la police procédait à des arrestations et distribuait des coups de botte agrémentés de modèles de calottes juste bonnes à vous faire pisser du sang par les cheveux. Ouaye foutre ! La vie devenait raide pour le petit peuple qui sauçait dans la misère en s'écriant pour se consoler :

– *Sa ki ta-w pwan-y, sa ki pa ta-w kité-y*[1] *!*

1. Tu prends ce qui est à toi, tu ne touches pas à ce qui ne t'appartient pas !

Un beau matin, on trouva un policier en grand bain de sang avec une fleur d'hibiscus plantée dans sa bouche. Cela parut étrange, étrange même, d'autant qu'aucun homme connu, hormis Pedro, ne pouvait dérespecter à ce point les excellences à la solde du dictateur. Mais bientôt, l'étrange devint tout à faitement surnaturel. Des policiers, des magistrats, de riches commerçants, de savants docteurs et de distingués politiciens se mirent à traîner comme des chiens créoles sur le bord des rues en baignant dans de grandes flaques de sang. La fleur d'hibiscus était toujours là, moqueuse, insolente, énigmatique. Puis les murs commencèrent à déparler. Ils crièrent en toutes lettres que Pedro était de retour « après un changement d'air bien mérité ». La nouvelle provoqua de grandes fêtes dans les dessous populeux de la ville. L'eau perdit le chemin de la bouche. Le rhum est si bon pour fêter !

Dans un boui-boui où la bordée explosait sous les notes de l'orchestre Al Calderon, la chanson de Pedro de Santo-Domingo fit sursauter tout le monde au moment d'une pause musicale. Elle vrillait les oreilles et semait l'effroi. Tout le monde la connaissait et lorsqu'elle surgissait comme cela un cercueil ne tardait pas à se remplir. Le bal se liquéfia. L'orchestre et la salle s'abandonnèrent au « paix-là ! » qui commande les grands silences.

Pedro de Santo-Domingo fit son entrée, escorté par des gardes du corps enveloppés de cartouchières et d'armes de mauvais sujets. Plus il avançait, plus la matière du silence changeait. Un *silence-dombré*[1], un silence-mélasse, un silence-diarrhée. Comme Pedro n'avait que des dents en or, sa bouche brillait comme une bijouterie par un soir de Noël. Il riait de bon cœur, sûr de lui, sûr de son effet, sûr d'être Pedro de Santo-Domingo, la terreur.

Il ordonna que la fête continue mais il ne voulait entendre qu'un seul et unique morceau : le sien, celui qui célébrait ses exploits.

A la dixième reprise, les musiciens, doigts raides, colonne vertébrale en marmelade, boyaux noués en cordes de marin, commencèrent à donner des signes de lassitude.

Pedro déposa son revolver entre les seins pamplemoussés d'une jeune *morena*[2] et déclara qu'il ne supporterait aucune fausse note tant qu'on jouera. Et on jouerait tant qu'il n'aura pas donné l'ordre d'arrêter.

La peine ne vaut pas de dire que les musi-

1. Lourd.
2. Une métisse (mot espagnol).

ciens lustrèrent les sons, chauffèrent les rythmes, découpèrent la cadence et ciselèrent la mélodie. La chanson s'envola dans les airs, pure et immaculée ! La Vierge Marie !

Cependant, alors que l'orchestre attaquait la trentième reprise, le pianiste s'écroula sur son clavier. Un malaise cardiaque ! Le batteur et deux trompettistes s'emparèrent de son corps et partirent dans les coulisses. Jusqu'à aujourd'hui on attend leur retour ! Le joueur de *chacha*[1] et de *siyak*[2], prétextant une urgence de tuyauterie, disparut sur la pointe des pieds. Seuls demeuraient sacrifiés sur la scène le guitariste dont la main s'affolait sur les cordes comme une araignée velue qui se sait en danger et le chanteur qui suait du vinaigre. Soudain une détonation coagula la peur. Pedro de Santo-Domingo venait d'alléger l'humanité d'un guitariste.

– Ça t'apprendra, marmonna-t-il, à donner des sérénades à ma très sainte mère !

Paradoxalement, tout le monde fut soulagé car, enfin, on avait su qui devait mourir cette nuit-là ! Pedro offrit une tournée générale et se retira avec ses gardes du corps en décrétant qu'il était désormais interdit à quiconque de chanter cette chanson ou même d'en siffloter

1. Maracas.
2. Instrument de musique strié et frotté ryhmiquement avec une baguette.

ou fredonner l'air. Elle est souillée par cette vermine de guitariste, expliqua-t-il à la morena, trop heureux d'enrichir sa collection de femmes.

Voilà pourquoi, mon brave *hombre* de Panama, j'ai éprouvé tant d'émotion en entendant cette chanson s'envoler de ta bouche...

Durant son récit, j'étais demeuré *estébèkouè*[1], fasciné par l'histoire et par l'homme qui l'avait vécue ! Pourtant j'en ai entendu !

Je promis à mon corps de ne siffler cet air qu'une fois revenu sur notre petite écrasure de Guadeloupe où, assurément, en aucune façon, Pedro ne saurait venir. Je devins, par petites saucées de causer, l'ami-compère du Nègre rouge et le familier des aventures de Pedro de Santo-Domingo.

Un jour, il fallut bien se dessouder. Nous faisions escale à Puerto Rico et chacun devait continuer son destin vers son île natale, lui vers Saint-Domingue et moi vers la Guadeloupe. Après de multiples accolades, je lui demandai :

– Mais, au fait, tu ne m'as jamais fait connaître le son de ton nom ! Comment t'appelles-tu ?

– Compadre Réache, ne pas connaître est mauvais !

1. Frappé de stupéfaction.

Il commença à siffler, je me joignis à lui joyeusement et à l'unisson nous avons exécuté en guise d'adieu la chanson de Pedro.

Quand nous eûmes terminé, je lui reposai la question :

– Comment t'appelles-tu ?

Il me regarda, respira un grand coup et me répondit :

– Je croyais que tu avais compris ! Je suis Pedro de Santo-Domingo !

Puis il disparut, poursuivi par le vacarme de son rire.

Voilà comment, sans le savoir, je fus l'ami du plus sanguinaire des bandits de la Caraïbe...

Nous applaudissons. Nous posons mille questions. Réache répond invariablement :

– *Ti kochon mandé manman y-a-y pouki gèl a-y long, manman la réponn : lè ou ké grandi ou ké sav*[1] *!*

Nannine trouve que cette histoire n'est pas très chrétienne et elle commence à bougonner. Elle met un grain de sel malicieux dans sa bouche pour faire enrager son mari. Réache la traite de vieille *kontrèlè*[2] et de femme impossible, jalouse de l'affection de ses chers petits-enfants. Nous exultons. Nous savons que Nannine va relever le défi. Il y

1. Le petit cochon reproche à sa mère d'avoir la gueule longue, maman lui répond : « Bientôt, tu verras ! »

2. Mêle-de-tout.

aura ce soir un duel de conteurs (Zorro contre Django, annonce Rosan) pour la plus grande satisfaction de la ronde des auditeurs jusqu'à ce que le sommeil nous brûle les yeux...

O paroles déroulées sous les paupières de la nuit ! Et la lampe demeurait veillative malgré son tremblement ! Et Réache fut la source ! Beaucoup d'histoires ont coulé en douceur vers l'oreille... Mais l'eau ne remonte pas les mornes, n'est-ce pas !

Chapitre trois :
Dimanche, jour de repos

Et Dimanche arrivait. Dimanche douceur comme une bague de cristal au doigt de la semaine. Un point d'orgue dans le temps avant que le temps ne reprenne sa musique quotidienne. Dimanche. Il me semblait que la vie volait des ailes de libellule pour flotter au-dessus de l'ordinaire des jours. Des frissons de ferveur enfollaient mon Castel et les arbres tanguaient saoulés par trop de joie.

J'ai appris plus tard le mot « endimanché », je ne l'ai pas aimé. Les vêtures du dimanche seront toujours les plus belles et les mettre nous fera changer d'âme. Thérèse avec son jupon cancan, ses nattes et ses rubans. Thérèse chaussettes blanches éclaboussant des souliers vernis. Guy-Claude et moi habillés comme des jumeaux. Même short en Tergal, même chemise blanche en popeline, même cravate tenue par un élastique, mêmes chaussures luisantes. Rosan-Josia-Camille tout en dièse. Nous ne sommes pas « endimanchés », nous sommes tout neufs. Une odeur d'eau de Cologne et de talc nous nimbe comme au premier berceau et la raie sur le côté de notre tête nous ouvre un chemin de grâce.

Avec d'autres enfants de notre rue, nous allons à la messe. Ce n'est pas marcher, c'est glisser sur des coussins de rires ! Devant l'église, des marchandes nous soumettent à la tentation. Comment avoir l'esprit à la prière lorsque nous savons que dehors, là tout près, des succulences nous espèrent ? Rien que d'y songer nous sommes en perdition...

L'église referme sur nous le corset de son rituel et nous sommes englués dans des comportations amidonnées de sérieux. Guy-Claude s'oblige à une sagesse d'image. On ose à peine s'asseoir, se lever, s'agenouiller aux commandements du prêtre. Notre corps se tient raide dans l'armure de la foi. Il nous empêche d'entrer dans le monde recueilli par les murs. Des angelots proclament une gloire exaltante. Le Seigneur ouvre des bras suaves au troupeau de négrillons que nous sommes. Des bandeaux peints déroulent des phrases latines en dessous des statues. Elles ressemblent à des morts debout au sortir d'un cercueil invisible. D'après tout ce que je vois ni les Nègres, ni les chabens, ni les mulâtres, ni les Indiens, ni les *batazindiens*[1] ne peuvent prétendre aller au paradis. Je n'ose imaginer cela : moi tout seul au paradis, perdu dans un océan de Blancs ! Ah Seigneur, l'enfer plutôt ! Une idée traverse le délire de ma tête tandis que l'harmonium célèbre un hosanna. Je vais refaire le paradis à ma manière...

C'est moi saint Pierre.

J'ouvre la porte du contentement éternel à Amélie Gros-pieds dont la jambe traîne une lourdeur d'éléphantiasis.

– Entrez mamzelle Amélie ! Entrez, le Seigneur vous lavera les pieds et vous serez guérie !

Je vais chercher, entre tous, Victor le *tèbè-gai*[2]. Sa bouche ne s'ouvre que sur un *migan*[3] de paroles désarticulées autour d'une bave grasse. Son corps déboîte une danse crochue.

– Entrez monsieur Victor, la maison de Dieu vous accueille et vous parlerez comme une sainte Bible. Le français s'aiguisera sous votre langue en pur diamant de poète. La grammaire ne sera plus sous votre langue miraculée qu'un jeu de perles sans défaut.

Achaman le clochard accourt. Il roule de *boulaison*[4] en boulaison. Sa charge d'alcool est

1. Métis d'Indien et de Nègre.
2. Niais.
3. Mélange.
4. Saoulerie.

infinie mais c'est le meilleur pour castrer un cochon.

– Entrez Achaman, voilà un endroit où l'eau a le goût du rhum. De temps en temps le Seigneur dans sa miséricorde vous offrira un petit sec-sec juste pour oublier la couillon-tise des hommes.

Je songe à Mme Fornase avec ses yeux *cokiyandés*[1]. Où est passé Mondong, sans maman, sans papa, sans personne pour répondre de sa cause de souffre-douleur ? Et Solex-Congo à qui l'on fait expier la couleur de sa peau avec des salves de mépris. Entrez et le Seigneur dira :

– Laissez venir à moi les plus noirs car le royaume des cieux leur appartient...

Et tandis que j'appelle les souffrants, les disgraciés, les éclopés, les subissants et les gémissants dans le monde de l'en-haut, une sorte d'extase illumine mon vouloir de justice. Je contemple mon œuvre. C'est bel ! J'en suis tellement heureux que je m'applaudis de toutes mes forces, fracassant le recueillement de la messe au moment de l'hostie consacrée. Marie-Jeanne, sèche et rêche gardienne du temple, me suspend par une oreille me rame-nant brutalement à la réalité. En vérité aucune des statues ne va à l'approchant des

1. Qui louchent.

gens de Castel. Les scènes peintes sur le mur brillent sous un autre soleil nous rejetant nous autres bien loin derrière le dos du bon Dieu.

J'étouffe un pleurer. Autour de moi, les bouches ont repris les mâchures de prières. L'abbé ouvre de grands bras et s'enfonce tout seul dans ses latineries. Docile somnambule, je me plie au rituel. Dehors les gâteaux m'espèrent. Je suis tellement pressé de foutez-moi-le-camp que je génuflexionne et crucifie mon signe en tournant le dos à l'autel. Marie-Jeanne s'encrise mais mes oreilles et moi sommes déjà hors de portée...

Le plaisir de la messe c'est après la messe...

Qui ne connaît pas un *tray*[1] ne connaît pas l'offrande ! Nous plongeons, mains longues et voraces, sur les bonbonnières. Elles ressemblent à des aquariums tapissés de douceurs. Nous attaquons tel un vol de sauterelles. Nous bousculons les marchandes pour être servis.

– Un morceau de *doucoune*[2], madame ! Un morceau de doucoune, madame.

Madame n'entend pas ou feint de. Elle ne peut pas satisfaire toutes les impatiences en même temps. Alors elle s'applique à ne voir qu'un visage à la fois. Elle officie raide

1. Plateau de bois.
2. Gâteau.

comme la justice. Mes yeux impuissants subissent l'échappée d'un sucre d'orge hors de l'aquarium. Un gâteau-pistache s'en va en toute cruauté. Des sucres-à-coco atterrissent dans des mains rivales. Pour stopper le désastre, j'utilise l'arme miraculeuse d'une feinte complicité. Je ne harcèle plus. Au lieu de quémander j'aide la marchande à vendre.

– Oui, madame, Ti-Paul t'a demandé un morceau-gâteau-marbré ! C'est le tour de Fanfan ! Fanfan presse-toi ! Ça fait longtemps qu'Elysée est là !

Ce faisant, mes yeux demeurent soudés aux yeux de madame. Toute ma figure épouse la ferveur d'une prière muette. Une voix secrète murmure continûment : « Ne m'oublie pas, madame ! Ne m'oublie pas ! » Le miracle s'accomplit. Au-dessus des criaillements, des piaillements, des suppliques, je brandis le trophée en forme de gâteau-patate. Non loin, l'orgeat et la menthe colorent un *snow-ball*[1] *(sinobol)* tout frais sorti de la râpe. Ah ! je vendrais mon âme pour un sorbet-coco ! C'est sans doute cela le paradis dont parle misyé l'abbé. En tout cas si bon Dieu était nègre-chaben-zindien-mulâtre...

Une fille à taquiner. Des mots doux papillonnent. D'inavouables complicités trans-

1. Glace râpée et pilée arrosée de sirop.

forment les yeux en lucioles d'amour. Un rien, un frôlement, un sourire, un petit mot câlin et le cœur se dilate l'espace d'un cillement...

O Mayou tout habillée d'absence ! Tous les dimanches du monde ne sont que des songes accorés à ta vérité. Plus d'une prière s'élève que tu n'entends. C'est là ma faiblesse douce-amère comme un pleur de bambous... je tourne le cœur en son profond pour tâter le manque... Le temps est bel beau-temps mais il y a cette paille...

Sur le chemin du retour nous croisons Olga-Star. En semaine c'est un soudeur. Le dimanche c'est un acteur gros modèle. L'or baigne son cou, éclabousse ses doigts, trace un éclair à son poignet. Olga-Star passe. Un royaume caresse ses pieds. Veste à *passe-pété*[1] taillée chez Lafcadio. Gilet croisé d'où pend une breloque. Pantalon à *l'escampe*[2], droite comme fil à plomb. Olga-Star repasse. Épaules ouvertes en éventail. La démarche se complique d'un rebond régulier. Les pas ajoutent des dièses aux dièses. Ne pas regarder les pieds d'Olga, c'est commettre un crime de lèse-diéseur ! Il a poussé la coquetterie jusqu'à recouvrir ses chaussures avec le même tissu

1. A pans.
2. Pantalon bien repassé.

dont son corps est paré ! Olga-Star est tout un cirque à lui seul. Le dimanche appartient à sa mise en spectacle. Il ne pointe pas un orteil dans l'église mais il pérore aux abords tournant un film dont il est le Roi-Soleil. *Admiratifs nous fûmes et louangeurs aussi ! Saisis d'écarquillements devant le ci-devant et ses gammes d'homme-matador ! Juger-voir les femmes fraîches et fessues !*

Chaque case avalant son lot d'enfants, nous nous dégrappons au fur et à mesure.

Ranger les vêtements du dimanche s'accomplit cérémonieusement. Grandes précautions. Un plier déjà nostalgique. Chaussures en boîte. Nannine veille. Réache pas loin.

Le dimanche plus particulièrement je baillais un vocal de chanteur.

Ne cherche pas, lecteur, un « Ainsi font font font... » ni un « Sur le pont d'Avignon » ou bien « A la claire fontaine ». Awa ! Que nenni ! Tout ça traversait notre gorge sur les bancs de l'école en manger fade revomi d'une voix distraite. Chansons sans sel ni piment que nous congelions dans nos mémoires une fois franchie la frontière qui séparait l'école (fausse comme une pièce de théâtre) de notre existence réelle. Je consentais à trouver belles les chansons d'église. « Belles » n'est pas le mot qui convient.

Disons que, dans l'atmosphère figée et mécanique de la messe, la chanson allégeait l'âme et élargissait l'espace. Avec enthousiasme j'entonnais « Au ciel, au ciel, au ciel, j'irai le voir un jour » porté non par une quelconque sainte espérance (à laquelle je n'y comprenais goutte) mais par un salutaire besoin de faire vivre mon corps. Parfois le chœur soulevait mon imagination et l'emmenait dans un lointain imprécis et dans un ailleurs sans nom où s'emmêlaient enfer, purgatoire et paradis. Mais tout cela manquait de rythme et de cadence. Les chansons d'église comme les chansons d'école se chantent avec la bouche. Les chansons créoles se chantaient avec le corps. Les premières sortaient de nous, les secondes rentraient en nous et nous possédaient. D'ailleurs nous n'apprenions pas les chants créoles. Ils germaient en nous comme des graminées. Ils flottaient dans l'air et décantaient en nous une mélodie et deux ou trois paroles. Chansons d'excursions, chansons de carnaval, chansons de veillées mortuaires, chansons de *gwoka* [1], chansons de coupeurs de cannes, chansons de marchandes, chansons de Noël, etc. se déposaient en nous à notre insu et s'installaient à jamais. D'ailleurs nous n'utilisions jamais (sauf à l'école) le

1. Danse, chant et musique du tambour.

mot de « chanson », nous disions un chanter. Le répertoire grandissait avec nous sans que nous ayons souvenance d'un commencement.

Le dimanche je baillais vocal. Face à la rue pour être bien vu des passants je me lançais en fermant les yeux.

Si manman-w é madanm a-w kalé néyé
Ou ké di mwen kiles ou ké sové
An ké sové manman mwen
Mézanmi kwè mwen
An pé touvé dot madanm
An pé ké touvé on dot manman[1].

Cette manie me venait de l'admiration que je vouais à tante Margot. Chanter la dévorait. Elle tenait en grand cérémonial un cahier où elle emprisonnait les paroles de toutes les chansons à la mode et dès que son travail d'institutrice débutante lui donnait une faveur, devoirs corrigés, préparations faites, elle s'entraînait sous le regard goguenard de son fiancé de toujours : tonton Opheltès. Je n'ai jamais su l'appeler autrement. Tonton Opheltès étirait à côté de tante Margot, assez proche de la taille de Nannine, c'est-à-dire

1. *Si ta mère et ta femme étaient en train de se noyer*
Dis-moi laquelle tu sauverais
Je sauverais ma mère
Car, ami, crois-moi,
Je peux trouver une autre femme
Mais pas une autre maman.

petite, une longueur de Nègre haut dont la tête s'échancrait sous la poussée d'une calvitie naissante. D'humeur égale, enclin à sourire de tout, souvent plongé dans les profondeurs d'une réflexion, il prenait la vie en philosophe et tempérait les ardeurs parfois cyclo-niques de tante Margot. Nous formions son public favori. A l'écoute de ses indignations – qu'elle avait faciles – ou de ses chansons – que nous nous devions d'applaudir.

Tante Margot affectionnait tout particulièrement les chansons-sirops où vibraient des amours éternelles, où larmoyaient des amoureuses délaissées, où se déchiraient des cœurs passionnés confrontés à de dures et inévitables séparations. Elle disposait d'une boîte magique de marque Teppaz de laquelle sortaient toutes les qualités de voix doucereuses gravées sur les disques. Très tôt, j'eus à connaître de Nat King Cole : *Adios Mariquita linda / Yo me voy porque tu no me quieres / Como yo quiero a ti...* Je découvris la musique du film *West Side Story : Maria... Maria...* Je fredonnais des airs de Tino Rossi, de Gloria Lasso et de Dalida : *L'amour et la jalousie / Bambino, Bambino / ne sont pas des jeux d'enfants / Bambino, Bambino...* Un nommé Gilles Sala, vivant en l'autre bord, composait des romances sucrées qui s'émotionnaient dans le velouté de sa voix grave. Sur une pochette bleue j'admirais la denture éclatante d'une Moune de Rivel d'où s'envolaient les chaudes intonations des biguines créoles.

Ce temps chantait une insouciance légère... Oh ! savoure la voix reliée à l'âme de toute chose comme un cordon de lumière... Les oiseaux répondaient et la nuit même babillait secouée par le rythme des insectes. Aux bruits de la vaisselle mêler un chanter est soulageant... L'accord d'une sérénade ouvre la serrure du cœur...

Un jour la coiffeuse (ainsi nommions-nous cette manieuse de ciseaux habile ou massacreuse selon l'humeur du jour) s'étonna de m'entendre, moi si docile à la tonte, quémander, au lieu du « zazou » habituel ornant mon front d'une sorte de corne pointue, un « Bélafonte » aux anses larges à l'imitation du chanteur jamaïcain. Malheur pour moi ! Elle fit ce qu'elle put : un saccage !

Contrairement à tante Margot j'étais m'en-fous-bien des chansons en sucre d'orge venues de l'Amérique de la France. Non ! Je bousculais ma voix au piquant d'une biguine. Je poussais monter une mazurka et de temps en temps je daignais consentir un trémolo de valse créole. De loin en loin un boléro ! Et encore !

Curieusement Nannine ne chantait jamais.

Avec toute la bonne volonté du monde, je ne puis considérer au sérieux un jargon dont aucun dictionnaire n'a jamais entendu parler, modulé, rapide, certes, mais sans mélodie, destiné à faire rire un buveur de *tété*[1]. C'était du genre : *Diabolo kato falo ! Diabolo kato falo ! Bokoto-toboko ! Bokoto-toboko !* Et cela se terminait toujours par une bise appuyée sur le ventre dudit. Et même au bord de la rivière elle ne sonorisait pas le moindre couplet. En la matière elle se positionnait écouteuse, encourageuse. Bravo mon *fi* !

Réache sifflotait, sifflait, flûtait un siffler complexe ramenant tout un orchestre dans le vent de sa bouche. Cela s'échappait de lui soudainement comme une averse et finissait là même. A moins que son voisin (le vieux-corps Craille, un homme à la mâchoire de tigre, éplucheur de cocos, décapsuleur de bouteilles, souleveur de tables, haleur d'objets lourds, tout ça avec ses dents !) ne décidât de l'accompagner en duo. Ni compère merle ni compère rossignol ne montaient leur hauteur !

Ce dimanche-là, dédaigneux des habituelles moqueries de Rosan et de Guy-Claude, je me plantai face à la rue, profitant des derniers retours de messe pour bénéficier d'un public

1. Bébé encore allaité au sein.

passant. J'entonnai avec la foi qui soulève les montagnes la mémorable chanson de Daniel Forestal.

Depuis trente ans attaché à la terre
Je n'ai connu de ma vie que misère
Grand Dieu sauveur
Écoutez ma prière
Calmez mes pleurs
Et chassez ma douleur.

Je ne chante pas. Je suis l'esclave qui implore. Poings serrés. Visage tordu, abîmé de souffrances. Bras ouverts. Tête levée vers le Très-Haut. La voix limpide en claireté d'eau de source. J'époumonne, suppliant, fervent, ardent. Quelqu'un d'autre chante dans mon corps, à toute !

Ma tâche est lourde et cause ma détresse
Je n'ai pour moi que ma triste faiblesse
Et mon cœur qui espère
Trouvera le bonheur.

Émotion. Vibration. Sensation. Passion. Après la dernière note j'ouvre les yeux. Une bonne dizaine d'auditeurs, oui auditeurs, crie :

– Bis ! Bravo ! Bis ! *Sé Josélito an nou !*

C'est ça même qu'ils ont dit : Josélito ! Mon cœur devient un chat sauvage cognant contre les barreaux de mon torse. Mon regard se voile d'une fierté mal contenue. Du coup je reste sans voix et je m'enfuis piteusement sans un salut pour mes premiers admirateurs. N'en déplaise à Rosan, je persiste et je signe : ad-mi-ra-teurs !

Un bonheur ne vient jamais seul, le malheur aussi. Il déclenche des événements supplémentaires, impensables avant, parfaitement logiques si l'on se donne la peine d'y penser. Bonheur et malheur sont des détonateurs, lorsqu'ils appuient sur la machine du destin tout explose et rien n'est plus jamais comme avant. Ne voilà-t-il pas que M. Raymond m'a remarqué ! Ne voilà-t-il pas que M. Raymond demande à Nannine, *souplè*[1], de m'autoriser à participer au concours de chant qu'il organise ! Ne voilà-t-il pas que Nannine répond oui !

M. Raymond n'était pas n'importe quel petit morceau d'homme ! On pouvait le ranger sans hésiter dans la catégorie des gros modèles.

Né dans le migan de la misère d'une mère qui avait connu chair sur chair pour essayer de tromper la déveine et chercher l'embellie d'un compagnonnage, M. Raymond, sans doute descendant de quelque noble aïeul africain jeté par erreur dans l'obscurité maudite

1. S'il te plaît.

des navires négriers, n'avait jamais admis de passer sur terre comme une mangouste perdue dans la géométrie des champs de cannes.

Après des débuts humiliants dans les équipes de ti-nègres tout juste bons à enlever des pierres sur les terres de M. de la Clémentine, il avait réussi à force de sacrifices, de dévouement, de combativité et de manœuvres rusées à devenir un géreur craint, semeur d'arrogance sous les pas de son cheval blanc.

Il avait connu le plaisir des cavalcades sentimentales, l'orgueil des commandements, les flatteries réservées aux *maîtres-à-manioc*[1] voyant s'agenouiller à ses pieds des papas et des mamans-zenfants en quête d'une journée de travail ou d'une tâche. Son bon vouloir coupait et hachait en ces temps verrouillés sur la soumission des malheureux. Il donnait, retirait, octroyait, abusait sans penser à demain, assuré de mériter la confiance de M. de la Clémentine. Plus tard, plus triste, prédisaient quelques irréductibles en regardant de loin la poussière de son cheval blanc.

Et pour de vrai, il fut écrasé par une honte que pas même douze mille charrettes n'auraient pu haler du profond de son cœur. Comme tout le monde sait, les Grands-Blancs

1. Meneurs d'hommes.

faisaient, défaisaient et refaisaient la loi quand ils ne l'enjambaient pas telle une barrière trop basse. Ils n'avaient pièce considération pour la négraille quémandeuse répartie en domestiques, nègres-savanes, gardiens d'animaux, coupeurs-cannes, cabrouettiers. S'ils précautionnaient avec les géreurs, les économes et autres profitants, ce n'était qu'un semblant de macaquerie. Quant au genre de comportation qu'ils réservaient aux Négresses, la peine ne vaut pas d'en parler ! Taisons les viols, les roueries, les rosseries, les menteries et les saloperies ! Seigneur aie pitié en ta miséricorde !

Raymond, très en cour à cause de son zèle pour presser la moelle de la basse négraille grignante sous les piquants du soleil, gémissante sous le fardeau des abominations malgré de temps à autre une petite tape-en-dos pour faire descendre toutes les sauces amères de la misère (une purge oui !), crut qu'il avait atteint la vallée de miel ou l'estimable devient l'estimé et où l'estime, d'une grande enjambée de générosité reconnaissante, traverse les murailles mentales du racisme. Que non point, Raymond ! Que non point ! Pièce pas ! Jamais ne verra ! Et même si Mme de la Clémentine te hèle par ton prénom, ne va pas croire l'heure venue de confondre la vie avec un bol de graisse ! Que non point ! Juger-voir si elle ne t'autorise par un jeu de feintises décorées par la dentelle des préjugés qu'à franchir l'espace, déjà trop proche, de sa véranda en veillant bien à ce que ton gros orteil n'aille s'égarer dans un millimètre de son salon... Juger-voir ! Rien ne dit qu'elle ne brise pas le verre dans lequel tu as trempé l'épaisseur de tes lèvres ou qu'elle ne l'affecte pas à l'usage de son chat ou de ses oiseaux. Rien ne dit pas !

Et même si M. de la Clémentine, ayant à rendre visite à M. des Rosières, souffreteux et recroquevillé sur un lit à colonnes, emmène ton négrillon de fils dans les coussins de cuir de sa limousine américaine et lui donne l'ordre, une fois franchie l'allée des hauts palmistes débouchant sur le perron de la demeure d'icelui, de le suivre *partout* – c'est-à-dire sur véranda égayée de fauteuils en rotin ; c'est-à-dire dans salon où se moirent et se mirent des meubles en mahogany ; c'est-à-dire dans l'escalier tournant grimpant aux étages ; c'est-à-dire *dans la chambre où le lit à colonnes donne réconfort aux os du maladif !* – ce n'était, cher Raymond, *que pour humilier M. des Rosières !* Ah comme il a ri de la rougeur suffocante de des Rosières d'avoir à supporter *dans sa chambre* l'odeur du négrillon !

Ayayaye, Raymond ! tu as cru devenir plus que le Blanc : l'égal du Blanc ! Jusqu'au jour où – bon Dieu pardon ! – lors d'un faire-semblant de récompenser les travailleurs méritants, à l'approchant de Noël, M. de la Clémentine, sans doute trop haut monté sur les vapeurs du rhum qui mettaient en pression les bouffées maléliveuses de son cerveau de tout-puissant, s'écria à la ronde d'une manière haut-les-mains :

– Laquelle d'entre vous n'ai-je pas déjà *dékalfouké*[1] ?

La qualité de silence qui s'ensuivit pouvait entraîner mille sous-marins dans les plus grands fonds de l'en-bas mer. Beaucoup de maris, concubins, resteurs patentés ou traverseurs fugitifs de *kabann*[2] se souvinrent d'une clairеté de peau suspecte inopinément surgie dans leur lot de négrillons. D'autres s'efforçaient de trouver naturelles des trouées d'yeux bleus ou gris-vert dans le visage ombré de leurs enfants. Tous serrèrent les dents, crispèrent leur ventre sur une colère sans éperons. Les femmes – ah malgré ça ! – vacillèrent sous l'irrespectation publique. Le Grand-Blanc dévisagea chacune d'elles tout comme s'il les voyait pour la première fois. Il reprit presque avec haine :

1. Avec laquelle d'entre vous n'ai-je pas déjà couché ?
2. Lit.

– S'il y en a une que je n'ai pas dékalfoukée qu'elle lève la main !

En voilà un tracas ! mi bab ! *Un coup de sabre dans l'eau ne laisse pas trace mais la honte tue... pour un ti-travail ou une salaison dans le manger ou bien tout simplement par peur ou encore sans savoir pourquoi... subir n'est pas mourir... Une jupe s'enlève et se remet... Tout le restant s'enferme dans le corps en silence secret... Par curiosité aussi et enfin par faiblesse... Ce qui ne fut pas donné fut pris ou surpris... fesse de Négresse a toujours fait bonne soupe...*

Pas une main ne se leva excepté celle de Ti-Souris mais tout le monde savait que Ti-Souris – la pauvre ! – n'avait ni devant ni derrière, ni de quoi appâter un désir. Or dans la ronde offensée se trouvait l'Artémise-à-Raymond. Une tourterelle gaie et chaleureuse aussi. Un bon piment de femme, brûlante comme une méduse. Femme-chatte, ô combien ! Raymond sans confession la croyait hors d'atteinte... Il la foudroya du regard puis il l'implora des yeux mais elle baissa la tête au lieu de main lever. Raymond partit tout de suite chargé d'une boule de honte. Il ne revint jamais et jusqu'à l'aujourd'hui il habite à l'extrême pointe de la flamme du rhum...

De l'époque de sa splendeur, du temps où M. Raymond était M. Raymond, il a gardé trois habitudes. La première c'est de toujours porter un chapeau-feutre grande classe. La seconde c'est de se lancer dans de grands discours dans lesquels il harponne tous les notables de la commune, tous les Grands-Blancs, et blasphème contre Dieu. La troisième c'est d'organiser un dimanche par mois une fête pour les enfants.

Quelle fête *mézamis* ! Mât de cocagne où flottent des saucissons, des boîtes de fromage en portions, des pommes-France, des tablettes de chocolat, des et coetera de friandises ! Concours de *tambour-ka*[1]. Courses en sac. Concours de chant et de récitation.

Mes roucoulements ont émerveillé M. Raymond. Il m'a invité avec un français grammatical à « patisipé à cette fêute que jè donnè en l'honner des zenfants poukil zapprennent queu lè nègreu n'est pas la iniquement pour travailler... »

Le dimanche suivant, me voilà, tiré par Rosan, poussé par Josia, encadré par Guy-Claude et Thérèse, allant pour la première fois affronter mon public.

Chanter devant ma porte malgré les agaceries de Rosan c'est un ! Chanter dans la « petiteu fêute » de M. Raymond c'est deux ! Toute mon audace a disparu et j'ai plutôt l'air d'un

1. Tambour créole de la Guadeloupe.

bœuf sur le chemin de l'abattoir. Ma voix a déserté ma gorge. J'ai peur...

Quelques candidats sont déjà passés. A peine ont-ils commencé que l'auditoire (le mauditoire ?) s'écroule de rire. Hués, conspués, moqués, certains mettent fin prématurément à leurs supplices. Il y a des voix qui se fracassent dans les aigus. Il y a des prononciations meurtrières :

La femme de mes rêvè
mè donne à kalkiléééé
elle n'è pas écouté
les bons conseils donnéééés...

Il y a des postures grotesques. Tellement d'embûches m'attendent ! L'angoisse m'étouffe. Je suis en capilotade. Josia me tend un verre d'eau. Thérèse éponge ma sueur. Guy-Claude tente de me rassurer. Ce sera bientôt mon tour. J'entends déjà les ricanements. Je devine les quolibets. Je serai la risée de tous. Soudain j'aperçois parmi l'assistance mon grand-père Réache. Droit comme un palmier royal, son panama sur la tête, sa canne des grands jours à la main, il est venu assister au triomphe de son petit-fils. L'orgueil attise ses yeux et raidit son cou. Je ne peux pas le décevoir ! Dieu de Samson, aide-moi ! Tout d'un coup une poussée de confiance m'envahit. Je me lance dans un état second.

Ah n'aimez pas n'aimez pas sur cette terre
Quand l'amour s'en va il ne reste que des pleurs.

C'est un triomphe ! D'abord le bruit reflua, laissant place à une écoute flatteuse. Ensuite les applaudissements crépitèrent. Enfin tout le monde reprit en chœur le refrain.

En un rien de temps me voilà juché sur les épaules de Réache. Nous n'assistons pas à la suite ni à la proclamation des résultats. Réache préfère fêter chez lui. Je ne sais comment le remercier de m'avoir insufflé l'orgueil de vaincre.

Dimanche en coulée d'or. Nos songes tintent en menue monnaie. Toute misère oubliée sous des allures de prince les travailleurs s'élèvent à la grâce. Au lointain un son d'accordéon et de banjo-guitare doucine la nostalgie. Riz blanc, haricot rouge et viande de bœuf roussie c'est bon manger ! Rubans... chansons... le soleil lâche un parfum d'orange et d'oubli des jours quotidiens...

Chapitre quatre : Fond-à-Man-Ba

Je fais la vaisselle debout devant une table grossière, à demi vermoulue par les ravages de l'eau, tailladée par les assauts du coutelas ébréché avec lequel Nannine découpe des morceaux de viande, ruisselante d'eau savonneuse dans laquelle je patauge derrière la cuisine. Enfin, ce qui tient lieu de cuisine ! Une cabane en tôle éloignée de la case où nous dormons le soir venu.

Je frotte de toutes mes forces des pots de Nestlé et de Guigoz qui font office de timbales. Je frotte des plats en fer-blanc qui brillent comme des pleines lunes argentées. Je frotte des cuillères et des fourchettes dont certaines sont tordues. Je frotte ! Attention à la timbale de Réache ! C'est le symbole de son pouvoir. Nul n'a le droit de l'utiliser. Elle ne le quitte jamais excepté pour être frottée, récurée, rincée par mes doigts malhabiles.

Brusquement un seul crier me fait sursauter. Nannine pousse un vocal capable de réveiller le diable et ses cornes. Son bocal de sucre a disparu ! Sa colère orchestre un *ouélélé*[1] sans fin et elle s'en prend à nous, les scélérats sans vergogne... On ne peut rien conserver avec ces enfants plus affamés que des rats ! Ahak ! Rien ! Elle tourne en rond avec des gestes de chauve-souris folle et elle s'arrache les poumons.

– Ils inventent toujours mille couillonnades pour voler mon *butin*[2] ! Comme si une malheureuse qui trime toute la sainte journée dans les cannes du blanc-pays n'avait pas son compte de désagrément ! Inconscients ! Tibandits ! *An kay brilé fes a zot ! An kay ba zot on rété-trankil*[3] *!* Je ne peux rien garder ! Rien ! Saucisson, fromage, biscuit ! *Yo ka manjé tout avan lè ! On sel gaspiyaj*[4] *!*

Tandis que Nannine lâche ses paroles explosives, menaçantes, pleines de mauvaises intentions à l'égard de nos fesses, elle fouille et farfouille tous les coins et recoins.

Dans ce genre de cuisine il n'y a pas de buffet et il faut tout sauvegarder de la gourmandise des enfants, des souris et des fourmis.

1. Chahut.
2. Mes affaires.
3. Je vais vous étriper ! Je vais vous faire tenir tranquilles !
4. Ils mangent tout ! Quel gaspillage !

Ainsi il y a toujours un régime de bananes suspendu au plafond bien en haut de la portée de nos bras. Derrière les poutres se cachent mille petits sachets plus odorants les uns que les autres. Poudre à colombo, poivre, piments, girofle, vanille, thym se marient en un cocktail de senteurs piquantes et cajolantes. Le sucre, lui, trop précieux, trop convoité, va se loger dans des endroits toujours renouvelés si bien que Nannine en arrive à oublier ses caches. Elle cherche. Elle vocifère tant et tant que la voisine lui demande si elle n'est pas malade.

– Non ! répond-elle. *Sé timoun-la ki ka anmègdé mwen* [1] !

Le bocal de sucre, las de lui bailler un inutile tracas, réapparaît devant ses yeux. Elle continue à héler comme si de rien n'était... Rosan la trouve encore en pleins hurlements alors qu'elle brandit son trophée. Interloqué, il l'interpelle.

– Nannine, pourquoi tout ce désordre alors que tu as retrouvé ton sucre ?

Ouap ! Elle chiffonne son visage avec une maîtresse gifle :

– Tais-toi ! Paix là ! Tu crois qu'après tout ce vacarme je vais me taire brusquement. Je ne peux pas ! Le voisinage me prendrait pour une vieille folle !

1. Les enfants me font perdre la boule !

Et Nannine continue decrescendo en ponctuant son final d'un gros soupir.

Comment ne pas aimer le sucre ? Les champs de cannes sont partout. Ils pullulent. Ils s'étendent. Ils envahissent. Ils encerclent. Ils se répandent en d'immenses marées. Ils lancent des plumets blancs que nous convertissons en sarbacanes. Ils chuchotent des histoires à dormir debout. Ils dansent avec le vent un boléro suave. Ils nourrissent les *esprits*[1] durant les nuits sans lune. Ils cachent des nègres-marrons et des contrebandiers. Ils crachent des essaims de mouches bleues. Ils flanguent notre peau avec leurs feuilles coupantes. Ils s'enflamment avec de grands panaches de fumées noires en vomissant des nuées d'étincelles. Ils avalent des bœufs dans les lisières et déroutent les gendarmes embarqués dans une chasse à l'homme fugitif. Ils abritent les amours interdites et soupirent sous la main chaude du vent. Nous y jouons en chapardeurs rusés des jeux mal élevés, des jeux d'enfants de la Guadeloupe pour qui les champs de cannes ne sont que la houle d'un grand songe ou la porte de l'enfer.

Mettre dans le creux des mains une cuillerée de sucre de canne. Humer d'abord pour sentir l'odeur du goût. On dirait un mélange

1. Esprits des morts.

de sable et de diamant roussi par le soleil. Pointer l'impatience d'une langue habile à déguster cristaux après cristaux en laissant fondre le goût de l'interdit, en cas de sucre volé. Une salive monte à bâbord, à tribord de la bouche et lève le délice d'un sirop. Au fond de la tasse, après boire, jauger de l'œil l'épaisseur d'une croûte molle et brune, et basculer le tout pour prendre la fifine d'un sucré enrobé de café. Un morceau de pain fourré au sucre de canne donne au quatre-heures une douceur délectable. Ne touche pas au sucre cassé pareil à des dominos endormis dans leur boîte. Enlever un morceau c'est enlever une brique dans un mur. La rapine se voit vite !

Si la canne à sucre n'existait pas Dieu n'aurait pas inventé la Guadeloupe... Tout le reste ne semblait là que comme des gardes du corps chargés de veiller sur l'écrasante majesté des canneraies. Pourtant Castel multipliait les feintes pour échapper à sa cruelle domination. Des manguiers énormes comme des arbres-éléphants agitaient les grelots de leurs fruits. Nos mains expertes les décrochaient d'un jet de pierre... Des pruniers attiraient des nuages de *yen-yen*[1]. Le letchi capricieux nous faisait souffrir une attente incertaine avant

1. Moucherons.

d'offrir la tendreté de sa chair. Le sein vert du corossol et les mombins tombés des arbres comme des confettis d'or. Des fouyapens ronds comme des boulets de canon et des ignames lourdes.

L'enfance se souviendra toujours de ces fruits qui n'auront jamais de sens dans un supermarché.

Castel ne figurait même pas sur la carte de la Guadeloupe mais Castel se haussait à hauteur de royaume. Un vrai royaume avec des provinces ! Comment appeler autrement Boisbert, Grossou, Faugas, Jaula, Boyer et Fond-à-Man-Ba ? Des ravines dessinaient des frontières. Des mornes délimitaient des territoires. Des sources marquaient des bornes. Des jardins créoles graduaient des influences ou suggéraient des privilèges. Dans l'alliance des familles se bâtissait un pont de belles manières mais des parfois la haine coupait un bras... Chaque lieu, malgré si peu de terre. Chaque lieu son histoire... Ainsi Fond-à-Man-Ba...

Fond-à-Man-Ba semblait répandre une ombre touffue au sortir de Boisbert. On aurait dit une aisselle gigantesque noyée dans une moiteur permanente. Des palétuviers où foisonnaient un enchevêtrement d'arbres assaillis par des lianes grasses bordaient la route de part et d'autre. De loin, on pouvait admirer les cascades végétales d'où surgissaient, tels des totems maléfiques, des troncs insolites enserrés et couverts par des serpents feuillus. De près, le débordement des plantes créait un décor d'autant plus angoissant que mis à part une vieille case délabrée et souvent fermée aucune maison n'était visible aux alentours. C'était pourtant un passage obligé entre Boisbert et le bourg du Lamentin. Le carrefour de Fond-à-Man-Ba était réputé maudit malgré la présence, à quelques centaines de mètres, d'une énorme croix au pied de laquelle des bougies pleuraient une repentance ou imploraient une grâce. Un silence engluait la verdure aux formes démoniaques. Pas une brise ne chantait ni même un crapaud ladre et de passer dans cette attrape où l'espace étouffait, levait la chair de poule des hommes les plus vaillants.

C'était les Dardanelles ou quelque chose d'approchant. Le nom se chuchotait en terreur conjurée et plus d'un, aux abords, faisait un signe de croix furtif en guise de protègement. A ce qu'il paraissait, les *l'esprits* malveillants s'y donnaient rendez-vous et compétitionnaient au plus méchant. Zombis au regard creux, volants auréolés de la lumière du diable, soukougnans assoiffés de sang, *mofwazés*[1] bien à l'aise dans leur corps de chien, *bête à man hibè* traînant de bruyantes chaînes et bien d'autres espèces non encore répertoriées dans la grande encyclopédie des croyances populaires proliféraient le soir (et parfois en plein midi sonnant !) et s'en donnaient à cœur joie avec les pauvres humains perdus dans la noirceur. Aucun éclairage ne venait au secours de la peur et souventement tes pas et ton cœur sonnaient à l'unisson un désordre oppressant. Beaucoup donc unissaient leur peur dans une même bande pour affronter la traversée de Fond-à-Man-Ba. Certains fumaient cigarette sur cigarette sachant que les *l'esprits* abominaient l'odeur. D'autres, au contraire, allaient cueillir là des maléfices à planter dans le cœur d'un ennemi (il desséchait sur pied et la mort prochaine faisait pointer les os de ses tempes en un-deux-trois temps...).

Des événements bizarres renforçaient la hantise de ce lieudit Fond-à-Man-Ba...

On pourrait passer sur un arbre où un pendu (mort et enterré depuis *nanni-nannan*[2]) hurlait au mitan de la nuit :

– Au secours ! Dépendez-moi !

On pourrait ne pas tenir compte du fait

1. Personne qui s'est métamorphosée en chien...
2. Longtemps.

que certains jours on retrouvait des flaques de sang sans pourquoi sur la route. On pourrait négliger des pluies de roches sans maître. Mais comment expliquer que M. Topinon dit Sans-peur ait rencontré aux Trois-Chemins de Fond-à-Man-Ba un chien haut comme un veau qui lui a demandé d'une voix lugubre :

– *Ban mwen on sigaret*[1]...

Sans se démonter il fit en vitesse une invocation protectrice. Le lendemain, à la buvette de Man Aurélia, son compère Elie, fossoyeur de son état, lui fit remarquer avec un sourire complice :

– *Prochèn kou an mandé-w on sigaret ban mwen-y*[2] *!*

Une froideur à l'en-bas-dos envahit nostrom.

Comment expliquer que Jossemon ait vu une femme assise sur un banc devant sa petite case lui demander :

– Mon *fi* où vas-tu donc ?

Il répondit qu'il cherchait la demeure de Gros-Fernand mais qu'il ne savait pas bien comment on y allait. D'une voix aimable la vieille femme lui donna tous les détails sur l'emplacement et sur le chemin à parcourir y compris les sentiers. Une fois arrivé, Gros-

1. Donne-moi une cigarette...
2. La prochaine fois que je te demanderai une cigarette, donne-la-moi !

Fernand tout surpris s'étonna du fait qu'il ait trouvé l'endroit sans difficulté. Jossemon conta sa rencontre et répéta mot pour mot les renseignements donnés. Gros-Fernand resta sans voix puis il questionna Jossemon. Où se trouvait cette femme ? A qui ressemblait-elle ? Comment était la case ? Tous les détails concordaient, il s'agissait bel et bien de Mme Amélie morte depuis longtemps et dont la case avait été réduite en cendres des suites d'un incendie. Ils retournèrent tous deux au lieu de l'apparition. Ils ne virent rien mais ils entendirent nettement une voix, la même, qui murmura :

– *On ti touné an té ka fè ! lè an mwen ja vini pou rantré*[1] *!*

Comment comprendre cela ?

Sortilèges de minuit... la noirceur s'emplit de vies occultes... Pas la peine de nier. Le mystère est trop fort. Il t'emporte bien au loin du dicible dans un nœud d'émotions... c'est un monde pour toi brillant de ses terreurs et même si tu sursautes, la parole des grands sort d'une matrice morbide. Elle s'insinue en toi et pond des œufs d'ancêtres. Lave ton visage dans l'urine du matin pour remettre en place la sonde de la vie... Il sera toujours temps d'habiter tous les ordres du monde... Vision, folle vision, les morts sont nos cousins...

1. Je ne faisais qu'un petit tour, il est l'heure pour moi de rentrer.

... Un transport en commun. Une nuit noire. Une trouée de phares sculptant des feuillages tourmentés. Au beau mitan de la route un cercueil couché... Il se dresse bien en face du chauffeur... Passagers en prière ! Litanies ! Chauffeur brandissez la croix ! Appelez saint Antoine ! Chauffeur baigne dans un vinaigre de sueur... Tentez une marche arrière ! Marche arrière ne peut pas ! Chauffeur tente un zigzag ! Cercueil répond par même zigzag ! Chauffeur accélérez ! Transport en commun est soulevé et voltigé et chaviré en contrebas. Il s'enflamme. Quarante morts... Propriétaire du transport en commun tourné fou en apprenant la nouvelle... On peut voir la carcasse dévorée par la végétation de Fond-à-Man-Ba.

Forces invisibles... Imaginez ! Imaginez ! Les filaos[1] *ont des chants de pleureuses. Les champs de cannes envoient monter des frissons. Le bruit de nos pas sonne comme un glas... Nous revenons du cinéma au bourg. Il faut traverser Fond-à-Man-Ba ! Le cœur se déréglait en* voum-vap[2] *chaotique. Respirer devient un travail contre l'épaisseur de l'air... Nous nous serrons les uns contre les autres et pas fiers ! Ah ! lâcher son corps dans un bain de sommeil est un tel soulagement !*

1. Variéété de conifère des Antilles.
2. Mouvement *(voum-vap)* est une onomatopée.

Chapitre cinq :
Henri Plutin commandeur des méchants

Chaque jour amène sa calebasse de joie ou de peine mais le jour où le coutelas d'Henri Plutin fendit la terre qui nous porte et traça soixante-douze mille éclairs avant de chique-tailler à mort la chair de Man Fèfène ne fut pas un jour comme les autres. La malédiction *jusqu'à fatiguer* sur ce jour qui vint allonger le calendrier de la déveine ! Il faut tenir la parole avec l'anse d'une précaution pour évoquer un jour pareil où les démons eux-mêmes partirent à la course...

Tout le monde connaissait Henri Plutin pour l'odeur de mauvaiseté qui pourrissait son sillage. On pourrait aller aux portes de l'enfer sans rencontrer cette qualité de Nègre !

D'abord et tout premièrement il y avait sa figure ! Est-ce juste de parler de figure humaine au sujet de cette personne ? Ce n'est pas tout d'en avoir l'apparence, il faut aller profond dans le cœur pour savoir si on mérite sa place dans la catégorie des hommes ! Pour ça – Dieu me punisse si je mens ! – la figure d'Henri Plutin pendait plus laide qu'un *bonda*[1] en souffrance dans un bois d'acacia. Il avait bien un front mais un front bosselé, raviné, zébré par quelques coups de rasoir recueillis dans des bordées de *grenndé*[2]. En plus son front sonnait têtu, borné, limité à l'horizon de terreur que cerclait son nom aux alentours de Castel. Au bout de la fixité de son regard des modèles d'yeux nous infligeaient une frissonnade. Autant dire des yeux capables de terrasser un homme sans le toucher. De véritables fenêtres ouvertes sur la maudition de son âme. Des coco-z'yeux rouges comme deux piments ! Seigneur ayez pitié ! Sans être malparlant, son nez s'aplatissait en une écrabouillure percée par deux trous noirs. *Nez-caca-bœuf !* Nez-foutez-pas-mal ! Un glissement de chair pour parler franchement ! Évidemment bouche, dents et menton ajoutaient grand désordre sous tout cela malgré le camouflage d'une barbe sale et épaisse. Sa tête s'emmanchait raide sur un *bidim-corps*[3] de colosse aux mains rugueuses. Et nul n'ignorait qu'un coup de

1. Fesse.
2. Jeu de dés.
3. Corps énorme (*bidim* est une onomatopée).

kan-a-men[1] suivi d'un *dos-de-main*[2] (oublions *palaviré*[3], *tobok*[4], *tyok*[5], *zingtok*[6], *aléviré*) pouvaient défigurer un visage. Si bien que nul ne pouvait imaginer sans un début de mal-ventre Plutin lavant sa main dans le visage d'un parent, d'un ami ou de soi-même ! A force de méfaits Plutin traînait après lui l'ombrage fidèle d'une réputation sale comme l'en-bas d'un canari au sortir d'un feu de bois. Beaucoup avant de nommer son nom crachaient par terre et beaucoup retenaient leur langue. Ceux-là accomplissaient des prouesses pour le désigner sans le nommer. « La personne », disaient-ils en roulant des yeux effarés. « *Moun an nou la ! Ewi ! Ou ja sav*[7] *!* » consentaient-ils à filtrer entre leurs lèvres soudainement bleues. « Barrabas », soufflaient, quasi inaudibles, les plus instruits. Plutin estimait que *bouwo-la*[8] sonnait assez bel sur la cloche des appellations.

Par petits brins les gens racontaient des histoires de profitations indignes d'un chrétien baptisé.

Pour nous, les enfants, le fait qu'il semblait

1. Gifle donnée avec le tranchant de la main.
2. Gifle donnée avec le revers de la main.
3. Paire de gifles (aller-retour).
4. Coup sec donné sur la tête.
5. Coup sec donné avec le pouce et l'index derrière l'oreille.
6. Même définition que 3.
7. Oui ! Qui tu sais !
8. Bourreau.

se lever-dormir avec de grosses bottes noires suffisait à donner grand ballant à notre caponnerie.

Messieurs et dames, qui eût pu, en ces temps favorables au bourreau, accorer sa méchanceté ? Qui ? Plumain coupait un bras à qui levait une frôlure d'ongle contre sa photo ! Alors juger-voir des affaires de coups de poing ou de coups de tête !

Personne n'avait oublié comment il avait soulevé Grand-Édouard culturiste, dit le Robot, comme un paquet de cannes. Il tournoyait avec lui en demandant à la ronde poltronnée :

– Où voulez-vous que je le fracasse ? Sur la terre ou sur le ciment ? Sur les pierres ?

Grand-Édouard ressemblait à un épouvantail épouvanté, honteux aussi. Et comme personne ne risquait une réponse, Henri Plutin ricanait en tournoyant... sûr de sa force, sûr de congeler la moelle de nos os... ivre de son tourment satanique. Personne n'avait oublié...

Le jour le plus laid fut ce jour de meurtre !

Boucher à l'occasion – une manière de porter une manœuvre débrouillarde pour donner au temps la couleur de l'argent –, Henri Plutin avait vendu à crédit deux, trois kilos de viande à Man Fèfène. De la belle viande ! La vente avait si bien marché que Plutin disparut des sentiers de Castel pour se plonger dans une bamboche de première classe. *Grenndé, léwoz*[1], *pit-a-kok*[2], *fanm*[3] jusqu'à finissement du pécule.

N'ayant plus de quoi, Plutin revint cacher la pluie des mauvais jours et se mit à rôdailler dans nos entours. Œil sombre, mine fermée, pensées mauvaises, laid comme un frisé macoute, à le voir seulement on devinait que ses affaires allaient emmêlées. Pas la moindre *jobine*[4] ne l'appelait maître. Rien n'aiguise la mémoire comme un besoin pressant. Il se souvint des crédits qui dormaient çà et là et c'est ainsi qu'il débarqua chez Man Fèfène. Cette dernière pleurnicha comme quoi elle se trouvait *raseur*[5] depuis que son mari avait été renvoyé de l'usine à cause d'un coup de poing égaré sur le nez du contremaître.

Man Fèfène, avec toutes les précautions de quelqu'un qui évite de marcher sur un mille-pattes, avait réussi à obtenir un sursis. L'homme était reparti, les mains vides, le cœur plein d'une mauvaise colère. Une semaine plus tard, il revenait réclamer et il trouva la même Man Fèfène dans la même situation. Après quelques éclats de voix, des

1. Soirée au groka.
2. Combat de coqs.
3. Femmes.
4. Petit job, petit boulot (néologisme de l'auteur).
5. Fauchée.

égorgettes brutales et des jurons assortis de menaces, il s'en alla en criant à la ronde qu'il ferait un malheur si la semaine suivante...

La semaine suivante nos yeux d'enfants enregistrèrent la folie des grandes personnes...

Il entra dans la misérable case de Man Fèfène, debout dans ses bottes et rempli de tout le mauvais sang qui colorait de cruauté son visage de pas-guère-beau. A peine eut-il écouté les jérémiades, les couillonnades où les mots « délais », « patience » pointaient leur insolence, qu'il brandit grand-velours et se mit à coutelasser.

J'ai vu Man Fèfène sortir de sa case en hurlant. Plutin après elle coutelassait. J'ai vu Man Fèfène tourner folle et prendre la course comme une bête aux abois. Plutin après elle coutelassait. J'ai vu quelques voisins horrifiés implorer le pardon et demander à Dieu d'arrêter le massacre. Plutin coutelassait. J'ai vu Man Fèfène tituber, vaciller dans un sillage de sang et tomber comme un arbre brisé par un cyclone... Soudain, je ne sais à quel moment, Nannine a quitté le cercle des pétrifiés, elle s'est agenouillée près du corps et elle a regardé Plutin en lui hélant :

– Si tu continues, tue-moi aussi !

Plutin a jeté sur elle des yeux hébétés, zombifiés, venus d'un autre ailleurs que la simple folie. Leurs regards se regardèrent durant un siècle de temps quand Plutin voltigea son coutelas au loin et plongea dans les bois comme un possédé.

Alors tout le monde retrouva la voix et le mouvement. Un cercle d'hommes et de femmes entoura Nannine qui elle-même encerclait de ses bras la chair coutelassée de Man Fèfène. Elle se recroquevillait pour retenir le semblant de vie qui lui restait. Elle mourut là comme ça, sous nos yeux, sous mes yeux d'enfant. Ainsi j'ai découvert que la tête des grands-mounes pouvait charroyer de lourdes charges de malédiction...

Le mal à l'encolure des jours. Beau temps défait... une vie s'en va... le soleil est blessé par tant de misères... petite guerre des petits pauvres nulle part consignée... Ainsi soit-il ! Mais pourquoi cette violence de foudre au ciel de nos vies ?

Chapitre six : La purge du petit matin

Les premières pluies apparaissent comme pour nous laver de toute cette horreur. Les vacances donnent des signes de fatigue. L'odeur de la rentrée se rapproche. C'est la saison des purges.

L'ennemi pour Nannine ce sont les vers intestinaux. Nous imaginons nos corps rongés de l'intérieur, fouillés inlassablement. Mort aux vers ! Nannine part en guerre. Son honneur ne supporterait pas de remettre, au sortir des vacances, des enfants faiblards. Des vacances à Castel cela doit se voir au bon teint des joues, au dégourdi des muscles, à la vivacité du regard, aux bienfaits d'un changement d'air. Au fur et à mesure que passent les jours, plus languides, plus anesthésiés, Nannine parle de purge.

Comment dormir lorsque nous savons que l'épreuve est prévue pour demain. Personne n'y échappera !

Dans le frais du matin, au premier pissat, les yeux encore encombrés de morceaux de sommeil, les cheveux totalement embroussaillés par les démons de la nuit, nous sommes debout les uns à côté des autres. Nannine impitoyable, l'œil sévère, la main sûre d'œuvrer pour le salut de nos corps, s'apprête à officier. Nous ne sommes pas d'humeur à taquiner Thérèse pour la large tache d'urine qui jaunit sa chemise de nuit. Guy-Claude ne fanfaronne pas. Victimes récalcitrantes, nous sommes condamnés à la purge capitale.

Une odeur nauséabonde soulève haut le cœur. Nous respirons à l'économie. Instinctivement mon nez se plisse, se retrousse pour tenter d'endiguer la marée nauséeuse. Rosan passe le premier. Il avale le breuvage d'un seul coup, ouap, ouvre de grands yeux pour conjurer l'épouvante et déglutit à maintes reprises. Déjà, Nannine lui offre une boisson gazeuse pour adoucir sa bouche. Josia essaie la même méthode mais elle échoue. La lamentable, les joues gonflées, n'arrive pas à avaler. Elle recrache le tout d'un seul jet. Elle s'essaie par trois fois avant d'en finir. C'est mon tour. Je ferme les yeux et j'avale une première gorgée. Au moment où, écœuré j'esquisse une résistance, Nannine me pince les narines et me verse sans répit le contenu du verre. Suffoquer ne sert à rien c'est ingurgiter qu'il faut ! Guy-Claude sautille sur une jambe tandis que descend la viscosité putride de la purge. Camille et Thérèse font de laides manières mais Nannine, à bout de patience, utilise une badine de bois-goyave dont la brûlure sur les jambes ferait dévorer même un manger-cochon...

Nous nous regardons ébahis ! Une fois le supplice passé, une sorte de fierté nous habite. Nous avons pris la purge ! Une journée de jeûne nous attend, suivie de deux semaines de fortifiants. Quinquina, Emulsion Scott, Hémoglobine des chiens, Quintonine...

La rentrée approche... La bassine d'eau a recueilli toute la chaleur du soleil. Nannine y a ajouté des feuillages frais aux vertus miraculeuses. Se baigner, en fin de journée, devient un voyage parmi des senteurs de feuilles-corossol, feuilles-goyave...

Je suis debout dans la bassine. Nannine épluche énergiquement mon corps. De temps en temps elle m'arrose avec un *kwi*[1]. Tout en frottant elle soliloque au point que parfois elle semble oublier ma présence. Ses mains demeurent actives mais sa pensée et sa langue voltigent dans des contrées interdites à ma comprenette d'enfant. Il y est question de fausse couche, de gens *gagés*[2], des faits et

1. Demi-calebasse évidée et séchée.
2. Ayant passé un accord avec le diable.

méfaits du voisinage, de toute la petite vie de Castel qui s'égrène là en chiquetaille de mots... Brusquement tel un malfini qui plonge dans la mer, la pensée de Nannine revient vers moi. Elle me tourne, me retourne pour un propretage intégral. Puis sa main devient plus douce.

Et tandis que ses doigts passent et repassent sur mon visage me viennent des odeurs de terre remuée et des émanations de vétiver. Un bien-être irradie mon corps et la moelle de mes os. La main de Nannine masse doucement et se transforme en caresses...

La nuit tombe maintenant d'un seul coup. Elle appelle une autre vie qui dévore tous les silences possibles. Croassements de grenouilles, chants des cabris-bois, stridence des criquets, vibration des hannetons, clignotements des lucioles font de la nuit un orchestre déchaîné. Des rythmes se superposent. Des basses bourdonnantes répondent aux aigus intermittents. Des mélodies compliquées complètent la sérénade. Au loin, le vent apporte la syncope d'un *gwoka* [1] et la voix enrouée d'un *léwoz* [2]. Les arbres frissonnent avec des babillages de feuilles. Nous sommes

1. Tambour créole.

2. Chanson qui accompagne la soirée au tambour. Le *léwoz* désigne un rythme particulier et désigne aussi une soirée festive avec des tambours.

tous réfugiés à l'intérieur de la maison qui résiste, impassible, aux houles de la nuit... C'est l'heure d'allumer les lampes.

La rentrée approche... Nannine s'assombrit. Le jour du départ elle nous regarde manger avec une joie mélancolique. Elle nous remet à nos parents respectifs en prétendant se débarrasser d'un fardeau.

– *Alé mi, pwan yo ! An pé ké pé èvè yo anko*[1] *!*

Réache, stoïque, sifflote mais nous savons bien qu'un pleurer intérieur brûle son cœur...

1. Partez avec eux ! Je n'en pouvais déjà plus !

Chapitre sept :
Les délices de l'apothicaire

Le bourg du Lamentin, à quelques kilomètres de Castel, semblait un autre monde avec ses rues bien asphaltées, l'électricité qui courait de maison en maison comme une bonne nouvelle et l'ensemble des bâtiments publics rassemblés dans sa partie haute et noble. Le bas du bourg, fendu par un canal boueux, accueille ceux qui ont grappillé des languettes de terre, souvent inondées, et qui *djobent*[1] au gré de leurs besoins. Plus au loin, Blachon répand l'odeur d'une mer cachée comme un secret honteux. Il faut dire qu'elle n'est pas belle notre mer. Elle s'embourbe et s'envase sans même se donner la coquetterie d'une plage. Aussi tout le monde l'oublie, hormis quelques rares pêcheurs qui vont y chercher le sou de leur pain noir.

Au haut du bourg la mairie avec son large

1. Travaillent.

parvis surplombé par une façade austère et sans autre imagination qu'un balcon attenant à la salle des délibérations.

En face, le square où s'élève un monument aux morts. Pauvre monument ! En dehors des 14 Juillet et de la fête patronale, il a l'air oublié et nous n'avons jamais lu les noms de ceux qui sont morts pour la patrie. Au contraire, nous le profanons sans vergogne. Nous l'utilisons comme lieu de rassemblement, de palabres interminables et de *chaud-caché*[1]. Il a l'air bien sage le square avec sa haie d'hibiscus et ses bancs verts mais il lui arrive de se dévergonder et de plonger dans la frénésie de la fête patronale. Il secoue les tambourins des danses indiennes. Il s'abandonne aux tours des saltimbanques. Il regarde ébahi un danseur de corde. Il frissonne devant les exploits d'un mangeur de verre-bouteille. Il explose en feu d'artifice. La foule se bouscule, s'assemble, se désassemble autour des marchandes et de l'homme-serpent. Ce jour-là, tout ce que la mairie a de hautain et de rigide s'évapore dans le square...

A l'autre bout du square, les hautes murailles de l'église taquinent le soleil. Quelle église ! Une forteresse avec deux donjons carrés où s'affichent les aiguilles d'une horloge

1. Cache-cache.

monumentale et proverbiale. Elle défie tous les cyclones et clame l'orgueil du Lamentin en une volée de cloches musicales.

A l'intérieur, les bancs répartissent les uns et les autres selon les lois d'un classement immuable.

Les bancs des Blancs-pays, marqués à leur nom, occupent les premiers rangs. Ils débarquent, arrogants et fiers de leurs limousines américaines (extase de nos yeux!) et s'installent aristocratiquement sans le moindre regard pour les autres chrétiens. Plus près de l'autel, quasiment dans l'intimité de Dieu tout-puissant, ils peuvent s'agenouiller en toute humilité.

Derrière viennent les bancs réservés des notables. Ils singent. Ils ont beau copier, leurs bonnes manières sentent trop la queue des vaches pour convaincre. Ne jamais leur rappeler leurs origines !

Plus loin et plus nombreux viennent les bancs anonymes où la négraille, la piétaille multicolore se pâme de piété et s'égosille à psalmodier un latin d'oreille.

Au fond les demi-mécréants pour qui la messe n'est qu'un divertissement.

Enfin dehors, sur le parvis, tous les rebelles qui se racontent des cochonneries en lorgnant du coin de l'œil le derrière des femmes. Ils s'agglutinent là, guettant l'aubaine d'une fille à engrosser.

En face de l'église une bibliothèque municipale, et son parterre de roses, encadrée par l'épicerie de M. Bonardin et par l'édifice impassible et somnolent de la justice de paix.

Dans le voisinage de l'église la pharmacie de M. Myrtil attendait les bobos, les grippes, les brûlures, les chiques, les mal-aux-dents, les mal-ventre et toutes les qualités de maladies qui rongeaient l'âme et le corps des plus vaillants.

En ce temps-là, les pharmacies n'avaient pas l'air aseptisé qu'elles ont aujourd'hui. La pharmacie de M. Myrtil c'était la cour des Miracles ! D'ailleurs on l'appelait non pas pharmacien mais apothicaire et pour moi ce mot résonnait de toute la puissance d'une force qui pouvait mettre au galop les maladies les plus coriaces, de tout le mystère d'un savoir qui possédait les secrets les plus enfouis, de tout le respect qu'imposait une œuvre de guérisances miraculeuses.

M. Myrtil répandait sur moi une bonté de grand-père adoptif. C'était un mulâtre d'une couleur un peu brûlée même pareille à celle de certains hommes du Panama, du Honduras ou du Costa Rica qui transportent dans leurs veines un sang amérindien. Ses yeux noirs roulaient avec humour sur les choses de la vie et lorsque la vie devenait trop raide, il utilisait ses épais sourcils pour donner à son regard l'expression de celui d'un homme enfermé dans une nasse. Ses cheveux ondulaient naturellement, ce qui ne l'empêchait pas d'utiliser force brillantine, force huile-carapate pour accentuer l'effet de la nature. En ce temps où tout le monde était si tellement regardant sur la qualité des cheveux, M. Myrtil soignait les siens avec l'attention d'un boursicoteur qui surveille le cours de ses actions. Les cheveux correspondaient à un pedigree. Cheveux grainés ou sèchement piqués sur le crâne comme des clous de girofle, enroulés sur eux-mêmes comme les ressorts d'un vieux matelas ou (pis encore !) semblables à une paille de fer garantissaient une vie d'enfer. *« Casque-en-fer »*, hurlait-on aux jeunes filles dont la tignasse se recroquevillait en un chiche ornement. Et la honte voilait leur regard pour toujours...

Un soupçon de souplesse, un friselis du poil donnait passeport pour l'arrogance à toute sorte de métis évadés de la malédiction des Nègres à cheveux raides. Inutile d'ajouter qu'une franche ondulation de mulâtre s'arborait fièrement comme un bienfait des dieux ! Les Indiennes, plus chanceuses, lâchaient, à l'égal des Blanches, un voile de cheveux lisses qui inondaient leur dos jusqu'au ras des fesses ! Ah les chanceuses ! Les Négresses brûlaient leurs cheveux au fer et trimbalaient avec elles une odeur de roussi. Avec le secours des produits américains, elles défrisaient, décrépaient, se lamentaient ou se réjouissaient selon le résultat. Elles avaient beau faire, elles ressemblaient à une armée humiliée à laquelle on avait imposé le port obligatoire de perruques mal assorties. Lorsque M. Myrtil sortait son peigne de sa poche pour coiffer avec amour son label de mulâtre, son geste précieux et coquet suggérait toute sa jouissance d'être du côté des vainqueurs.

J'allais et venais dans la pharmacie avec le ravissement d'une mouche tombée dans un bocal de sucre. Une odeur d'éther imbibait le bois du comptoir. Elle s'ajoutait à celle de l'eau de javel qui remontait du plancher et aux relents de grésyl venus de l'arrière-cour où s'ébattaient quelques pigeons. D'autres odeurs s'agaçaient les unes les autres, se contrariaient ou se répondaient selon leur intensité. La vaseline bleue et translucide émettait un arôme douceâtre qui collait comme une ventouse à tout ce qui l'approchait ou la maniait. La bouteille de fleur d'oranger exhalait une senteur fraîche, gaie et peu insistante comme les premières notes d'une belle matinée. Le

Mercurochrome sentait l'encre, mais une encre rancie et aigrie d'avoir été oubliée par des écoliers négligents. Il picotait légèrement les narines malgré les manœuvres du coton pour l'étouffer. Je suffoquais dès qu'on ouvrait une bouteille d'alcali avec toutefois la fierté d'affronter une force sauvage et grossière. Je humais des charges de Vicks. Je me frottais les mains à l'eau de Cologne pour imiter M. Myrtil. Je captais d'étranges messages olfactifs qui déroutaient mon odorat. Ils provenaient souvent d'un mortier dans lequel un assistant broyait des remugles pour la préparation d'un médicament. Mon nez faisait provision en appréciant ou en se rebellant mais toujours avec la curiosité d'un parfumeur.

Il me suffisait de lever les yeux pour m'envoler dans un monde de porcelaine blanche, de faïence bleue, de verre tamisé sagement rangés au-dessus des hautes étagères. Un pot d'une exceptionnelle beauté volait la prunelle de mes yeux. Blanc, lisse, brillant, il s'ornait d'un liséré de fleurs rouges entrelacées et nouées à la manière d'un ruban. En son milieu, une étiquette tentait de livrer son secret mais peu m'importait. Parfois certains bocaux rompaient le charme. On y voyait, flottant dans une eau jaune, un organe, une racine, un objet bizarre. Mes yeux se peignaient en d'insolites pourquoi auxquels personne ne répondait. Tout cela créait une ambiance surnaturelle, inquiétante même, tempérée par la bonhommie de M. Myrtil.

Il y avait dans son garage une énorme voiture américaine de marque Chevrolet. Elle ressemblait à un monstre endormi. Les chromes luisaient comme des éclairs. Les enjoliveurs des roues se compliquaient d'une multitude de rayons et au-dessus du capot un animal symbolisait la puissance du moteur. Je passais des heures à regarder dans les courbes de cette voiture, astiquée comme un crâne de chauve, les reflets déformés de mon corps gesticulant. J'aimais surtout m'enfermer à l'intérieur et rêver de voyages plus farfelus les uns que les autres. Je caressais le bois du tableau de bord. Je sursautais au bruit du Klaxon taquiné par mégarde. Je m'endormais sur les sièges enveloppé par la douceur du cuir chaud et moelleux. Tout m'appartenait car j'étais le seul enfant élu dans cette immense demeure haute et basse sur laquelle veillait en gardienne fidèle une femme énigmatique et peu bavarde.

Certains soirs, nous allions tous les trois faire une promenade et je me laissais bercer par le ronronnement du moteur en regardant défiler les ombres d'un paysage nimbé par la quiétude.

Apothicaire, si haut dans la mémoire, un enfant te salue et dépose un merci dans la main du temps. La parole n'est qu'un aimant qui espère la limaille des songes. Nourrir le songe fut ton lot toi qui ne vivais que de visions intérieures...

Chapitre huit : Première communion

Notre maison se cachait derrière l'église, au milieu de la rue de la Prison. C'était une petite rue sans histoire, presque sans voiture, tout entière livrée à nos jeux d'enfants. Les jours glissaient fluides et joyeux ponctués par les recommandations de ma mère.

En premier lieu : toujours, partout et en toutes circonstances, être la fine fleur des enfants bien élevés !

Glisser un bonjour devant les grandes personnes en guise de respect. S'éclipser au large de leurs conversations. Répandre des « merci monsieur » ou des « merci madame » à longueur de journée. Répondre « plaît-il » lorsqu'on nous appelait. Refuser toute offre de nourriture pour ne pas faire tomber la honte sur la famille. Rentrer chez soi dès que les lumières électriques signalent la fin du jour. Ne pas laisser la bouche s'empuantir d'un juron ou d'un gros mot. Darder une grande personne n'est rien moins qu'une insolenceté punissable. Éviter les mauvaises fréquentations, en clair les enfants mal élevés, le plus souvent trop pauvres pour s'acheter une conduite. Appliquer les dix commandements, etc.

Je connaissais par cœur tout le bréviaire de l'enfant bien élevé et je répugnais naturellement aux laides manières qui vous font basculer dans la basse-fosse des sans-vergogne et des sans-sentiments.

Ah respect pour cet enfant ! Chaussures propres, short Tergal et une raie sur le côté, il est modèle des modèles ! Belles manières et langage poli, il n'est qu'un chant de belleté... Le mal l'a oublié... sa vie n'est que lumière d'enfance... coulée d'or...

Malgré son calme apparent de rue sans histoires, la rue de la Prison offrait des opportunités habilement exploitées par nos imaginations.

Ainsi, dans un espace en friche, vestige d'une lèche de campagne où se dressaient encore quelques arbres à pain et quelques arbres fruitiers, jouer aux noix. C'est-à-dire lancer dans un trou des noix d'acajou, une à une, ensuite par groupe de deux, puis de trois jusqu'à une bonne dizaine. Il fallait savoir se positionner, viser juste et réussir un jet parfait.

Ainsi sur la bordure d'un trottoir jouer à *pichine*. Lâcher sept pierres avec une fausse nonchalance. Lancer l'une d'entre elles en l'air et la recueillir en ayant raflé d'une main leste les autres. Rapidité du geste, coordination des yeux et des mains, réflexes, autant d'atouts pour réussir.

Ainsi *cache-cache bien ma balle* ou bien *chaud-caché* nous occupaient avec des envols de rires qui allégeaient les heures du jour.

Partir en petites bandes à la recherche d'un chien créole pour le brûler d'un coup de revolver à bouchon. Chasser les anolis pour les rôtir. Arracher les ailes des libellules. Tuer des crapauds. En toute cruauté nous menions nos guerres avec la délectation morbide de persécuter, de s'acharner, de tuer...

Et pourtant mon cœur battait doucine pour Mayou. Elle habitait en face de chez nous dans une aile de la prison que son père, le maire, utilisait provisoirement comme logement. Nous étions inséparables et il nous semblait que la vie n'avait été créée que pour satisfaire notre amour d'enfants. Nous nous prenions par la main et nous allions faire un tour à la mairie. Entrer à la mairie c'est pénétrer dans un sanctuaire où domine la voix cassante et altière du maire. Très respecté et craint il veille à tout, surveille tout le monde, ordonne, commande, réprimande et mène sa commune d'une main de fer. Les quémandeurs, les espéreurs d'un bon de secours (pour faire face à une hospitalisation trop coûteuse), les demandeurs d'un petit emploi, les solliciteurs de faveurs encombrent le hall central avec des mines graves de constipés. Ils larmoient une aumône communale. Ils gémissent avec des *souplè* pour attendrir l'autorité. Ils se prosternent bien bas devant leur idole, car c'est leur idole ! René n'a peur de personne, fanfaronnent ses partisans. Il a fait valser un préfet et il a refusé de recevoir le général de Gaulle lors de sa tournée en Guadeloupe ! René est injuste, rétorquent ses adversaires. Il a fait fermer la salle de classe de Roger Verdol (sous prétexte de réparations) parce que celui-ci appartenait corps et âme au Parti communiste ! Il refuse d'installer des réseaux dans les rues où il compte des opposants ! Il a fait déterrer un mort ! René, lui, au cours de ses envolées, au sommet de sa gloire, évoque un peuple qu'il veut digne et debout sans pleurnicheries, sans faiblesse. Alors il crie, il éructe et parfois il injurie ce lot de mendianneurs. Sa mairie tonne et le peuple tremble... Nous, nous n'avons aucune peur de René et nous ne comprenons pas grand-chose aux affrontements politiques. Nous sommes reçus par un René-gâteau qui n'hésite pas à nous emmener dans sa traction noire pour faire le tour de son royaume. Souvent, perdu dans ses occupations, il nous abandonne et nous nous réfugions dans le garage municipal aussi riche pour nous qu'une caverne d'Ali Baba.

Nous étions inséparables mais nous vivions séparés. Le monde des grandes personnes dressait entre nous un rideau de conventions, de commissions à faire, d'ordres à respecter et de bonne tenue à afficher qui gênait nos élans. Par exemple nous ne pouvions dormir ensemble et nos promenades demeuraient limitées au bon vouloir de nos parents. Un jour la solution germa de nos cerveaux enfiévrés par le spectacle de jeunes mariés au sortir de l'église. *Nous allions faire notre première communion.*

Sous ses cheveux de mulâtresse et dans ma tête de chaben, la première communion ne représentait rien d'autre que le mariage des enfants. Après de multiples chuchotis entrecoupés d'éclats de rire, nous partîmes la main dans la main, comme deux fugueurs, à la recherche du prêtre. Malgré l'aspect intimidant du presbytère nous entrâmes hardiment, bien décidés à convaincre M. l'abbé du bien-fondé de notre requête. Amélie, vieille femme à tout faire, incrustée au service du presbytère, ouvrit de grands yeux en nous voyant arriver. Elle pensa que nous étions venus pour solliciter quelques sucreries ou pour remettre un message de la part de nos parents. Après avoir prodigué les cajoleries d'un bon accueil, elle s'enquit de l'objet de notre visite. Elle faillit tomber à la renverse lorsqu'elle comprit devant nos mines déterminées que nous voulions voir M. l'abbé et lui seul, pour lui confier un secret de la plus haute importance !

– *Ki sèkré ésa*[1] *?*

Elle eut beau recourir à diverses stratégies allant des doucineries aux menaces voilées jusqu'à une tentative de nous chasser, nous fîmes front avec la plus grande obstination. Elle feignit de nous oublier et continua sa besogne en chantonnant. Nous fûmes inébranlables ! Mayou passa à l'offensive et sortit l'argument « d'aller dire à papa que tu nous as fait des méchancetés ».

Amélie réfléchit un instant. Son vieux visage s'emprisonna dans une gangue de perplexité d'où elle réussit à extraire au bout du compte la perle d'un sourire de vaincue. Nous avions gagné ! Le père Rouil arriva. C'était un homme de petite taille, au visage jovial, toujours prêt à se moquer des superstitions des

1. Quel secret ?

Nègres créoles. Au grand effroi de la population il donnait des coups de pied aux quimbois qu'il découvrait dans les Trois-Chemins. Il célébrait ses messes avec entrain en faisant résonner sa voix forte et chantante. Les enfants avaient coutume, une fois la messe du dimanche terminée, d'envahir le presbytère pour partager avec lui les chocolats et les friandises dont ils raffolaient. Pourtant lorsque l'abbé fut devant nous, je perdis toute contenance car j'associais vaguement la notion de mariage à quelque chose de malélevé. Il y avait tout de même le bidim-problème de la naissance des enfants qui bousculait mon cerveau. Maman avait beau me raconter qu'ils arrivaient par la poste, cela contredisait toute une série d'indices que je pistais avec la curiosité d'un détective.

Pourquoi alors se faisait-on un plaisir de me raconter que j'avais pris naissance à Castel où il n'y avait aucun bureau de poste ? Pourquoi, lorsque le ventre des femmes enflait, on les voyait quelque temps après promener un timoune avec des yeux émerveillés ? Pourquoi entendait-on des expressions comme *faire vice, faire malélevé, coquer* ? Il y avait un lien obscur entre toutes ces choses que je devinais sans bien comprendre le mécanisme. Une chose était sûre et certaine : les gens se mariaient pour avoir des enfants. Cette idée me paralysa malgré l'onctueuse amabilité du prêtre.

Mayou expliqua d'une voix solennelle que nous voulions faire notre première communion pour pouvoir vivre « comme madame et monsieur ». Le père Rouil nous regarda avec stupéfaction. Il ne comprenait pas l'amalgame que nous faisions entre première communion et mariage. Pour nous les deux cérémonies nécessitaient les plus beaux vêtements, se passaient à l'église et donnaient lieu aux mêmes réjouissances. C'était donc du pareil au même ! Dieu unissait les communiants comme les mariés... Père Rouil, pour notre plus grande honte, héla Amélie et lui répéta notre demande. Ils cassèrent un morceau de rire sur nos têtes puis, patiemment, avec mille précautions, ils tâchèrent de nous expliquer le sens de la première communion. Des affaires de Dieu en trois personnes, de Christ mort sur la croix, d'hostie consacrée, de ceci est mon sang brouillèrent nos esprits et nous laissèrent tout confus d'autant, ajoutèrent-ils – et ce fut l'estocade – que vous êtes trop jeunes ! Notre rêve s'écroulait là, dans l'atmosphère confite du presbytère. Bombardés de paroles trop fortes pour notre comprenette, nous repartîmes mortifiés. Nous avions tout de même la consolation d'être désormais admis au cours d'instruction religieuse...

Qui peut empêcher la rivière de descendre vers la mer ? Nous nous devions de célébrer pour nous-mêmes notre union éternelle. Quelques jours plus tard, main dans main, cœur dans cœur, devant le miroir d'une armoire nous nous mariâmes avec pour uniques témoins nos reflets endimanchés. Jamais mariage ne fut plus sérieux !

Il ne fallait pas malparler de Mayou sinon je me battais avec la fougue d'un chevalier insulté. Je pleurai une matinée durant parce que Guy-Claude avait osé profaner mon idole et ma femme en prétendant (messieurs quel fer douloureux dans la plaie de mon orgueil de ti-mâle !) que Mayou avait fait pipi au lit ! J'unissais mes pleurs à ses pleurs. Si sa mère, excédée par une couillonnade, la giflait, je pleurais comme si j'avais reçu les coups. Le rire nous prenait aussi. Il nous déposait, légers, insouciants, amoureux, au pays de la joie, pour un rien et pour tout...

Tout naturellement quand on me demandait qui est ton paindoux, ta chair, ta chère, ta gamine, je répondais Mayou...

Chapitre neuf : La mère des amours

Des parfois survenaient des événements qu'on aurait dit envoyés pour démâter la vie. Elle prenait alors des poses de *guimbos*[1] dormant tête en bas, accrochés au fromager du malheur.

Ma mère, accroupie, remplissant des bouteilles dans la cuisine. Je ne vois que son dos à quelques mètres devant moi. Les bouteilles contiennent des morceaux de ciel bleu. Ma mère délicatement soulève une dame-jeanne et verse dans les bouteilles les morceaux de ciel bleu. De temps en temps, elle s'arrête pour ranger les bouteilles pleines les unes à côté des autres. Je regarde, fasciné par les bouteilles. Alignées, elles me font songer à des vagues sans écume, au chant bleu de la mer, à un ciel liquide. Ma mère continue et chacun de ses gestes, très lent, me semble irréel. Je ne

1. Roussettes.

dis pas un mot et tout se passe dans le silence voulu par le destin. Les bouteilles clignotent et j'entends l'appel de tout ce bleu qui vit et vibre en moi. Mes yeux boivent le bleu et mon corps comme un automate déréglé fait un geste fou.

Ma main, sans pourquoi, attrape une boîte d'allumettes. Ma main, sans pourquoi, sort une allumette de la boîte. Ma main, sans pourquoi, frotte l'allumette. Et soudain je ne comprends plus rien. Je vois de petites flammes bleues qui dansent et boivent les taches d'essence. Je vois de petites flammes bleues, presque transparentes, serpenter en direction de ma mère. Absorbée par son remplissage, elle ne voit pas les flammes qui se rapprochent d'elle. Un cri soulève mes poumons. Un cri assèche ma gorge. Ma mère se retourne et mesure le désastre. Elle se lève à toute vitesse, m'emporte comme un paquet en hélant :

– Au feu ! Au feu !

Et tandis qu'elle m'emporte, le feu rentre dans les bouteilles et envoie monter des sarabandes de flammes. Bousculade, tremblade, fanfaronnade, un monter et descendre de voisins. Des seaux d'eau, des tuyaux, des ordres, des contrordres, des sacs de jute imbibé pour étouffer le feu qui mord goulûment le bois de la cuisine. Une bataille désordonnée, un gourmer en pangale et en final de compte le feu mis à mort...

Les dégâts ne sont pas si importants car tout le monde a réagi vitement-pressé mais je suis habité par un tourment intérieur que pas même Mayou ne pourrait apaiser ! MA MÈRE AURAIT PU MOURIR PAR MA FAUTE ! Voilà tout ce à quoi je pense tandis que ma mère commotionnée se débat dans son lit entourée de voisines qui secouent, pleines de commisération, leur sac à paroles.

Ma mère ! Je n'ai pas encore lâché le bon vocal sur l'amour que je voue à ma mère...

Ma mère rit et voilà que son rire éponge toutes les misères du monde, astique le soleil et fait de l'île un pain chaud. Je ne suis jamais sorti du ventre de ma mère. Ce n'est pas vrai ! Tout ce qui se passe et tout ce qui se passera n'aura d'autre lieu que le ventre de ma mère. Elle me protège du coup de fouet du vent, de l'orage d'une dispute d'enfants, du coup de coutelas des éclairs, de toutes les déceptions qui font trembler la terre sous mes pieds, de l'éruption volcanique des méchancetés, du raz de marée des jalousies, de la fin du monde quand l'amour est en panne.

Aucune sécheresse ne peut rendre mon

cœur désertique car ma mère l'a arrosé pour des siècles et des siècles. Aucun déluge ne peut emporter ma vie car ma mère est mon arche de Noé. Je marche, sain et sauf, sur les braises car les pieds de ma mère ne connaissent pas la douleur. Je dors en toute quiétude sur un lit de fakir car le dos de ma mère peut supporter toutes les charges. Je me ris de la tempête car le souffle de ma mère est plus fort que tous les vents contraires.

Alors, ne la regardez pas comme ça ! Vous ne verrez qu'une mère comme les autres ! Moi seul connais...

Sa main sur mon visage.

Sa voix dans mes oreilles.

Son cœur immense.

Un fluide mystérieux nous relie même dans le silence. Et ce sont des éclairs de bonté, des savanes de patience, des oasis d'amour. A cause de ma mère j'ai appris à aimer toutes les mères de la création et à vénérer toutes les femmes de la terre. Petit oiseau auquel elle donne la becquée, poussin enfoui sous ses ailes, petit poisson dans son sillage, je me métamorphose au gré de l'énergie de ses sentiments. J'habite la cascade de ses rires. J'habite la forêt de ses paroles. J'habite les profondeurs de ses silences. J'habite le cyclone de ses contrariétés et de ses peines.

Elle m'emmenait partout. Je marchais à côté d'elle, m'efforçant de garder le même pas sans me plaindre d'une quelconque lassitude. Je la suivais sur les routes empierrées de Castel, dans les rues de Pointe-Pitre. Un jour je la perdis. Voici le comment.

Elle portait une jupe rouge et nous circulions dans la cohue de la halle aux viandes. Si beaucoup de bouchers étaient des hommes, ils avaient pour pratiques une nuée de femmes. Elle allait, virevoltant par-ci, marchandant par-là. Je la suivais, agrippé à sa jupe, remorqué par ses pas. Soudain une bousculade nous dessouda. Je pris courir et ayant repéré une jupe rouge je me ressoudai à elle. Je continuais à me laisser entraîner lorsque la jupe effectua un demi-tour agacé. Le visage d'une femme inconnue me considéra avec surprise.

– Qui es-tu ?

– Ernest...

– Et pourquoi tires-tu ma jupe ?

– Je n'ai pas tiré ta jupe, hon !

– Comment ? Je suis une menteuse alors ?

– Je n'ai pas dit ça, madame !

– Où es ta manman ?

– Je ne sais pas, madame !

– Comment tu ne sais pas ?

J'éclatai en un pleurer hoquetant. Un

attroupement nous encercla. La pauvre femme répétait :

– *I pèd manman a-y*[1] !

Ce fut bientôt l'affaire de tous. Les commentaires bouillonnaient. Les questions fusaient.

– *Mézanmi gadé jan chaben la ka pléré*[2] !

– *I lèd kon kochon siam*[3] !

– *Fanm aprézan pa ka pwan pon pwékosyon èvè ayen*[4] !

– *Ou pé di mwen on manman ka pèd ti moun a-y*[5] !

– Comment elle est ta manman ? Quelle est sa couleur ? Comment s'appelle-t-elle ? Où habites-tu ?

De temps en temps, je lâchais un maigre morceau de réponse dans une mare de pleurer. Je m'étais trompé de jupe. Ma mère réapparut sous les regards plus ou moins réprobateurs des badauds. Elle remercia la dame, me happa et nous repartîmes emportant avec nous le silence des grandes émotions. J'ai retenu de cet incident que ne pas avoir de manman c'est tomber dans un trou noir sans fond.

Ma mère se passionnait pour son métier d'institutrice. Au temps de mon enfance, les

1. Il a perdu sa mère !
2. Regardez comme ce gamin est vilain quand il pleure !
3. Il est aussi laid qu'un cochon du Siam (variété de cochon presque albinos).
4. Les femmes d'aujourd'hui n'attachent d'importance à rien !
5. Ce n'est pas possible qu'une mère perde son enfant !

institutrices montaient sur les hauteurs de la considération. Les élèves, le plus souvent marmaille de campagne ayant parcouru des kilomètres à pied pour se rendre à l'école du Blanc-France, se laissaient impressionner par leurs robes d'actrice, leurs chaussures à hauts talons, leur parfum de luxe et leurs grands ongles vernis. Elles se classaient dans la catégorie des *gran jan moun*[1]. Les parents, obsédés par le rêve d'extirper tous les germes de la misère dans la destinée de leurs rejetons, persuadés que l'instruction était un arbre magique au bout duquel pendaient des fouyapens en or, leur accordaient une respectation déférente et leur donnaient le droit d'éplucher les fesses, d'arracher les oreilles, de calotter les joues pour se faire obéir des négrillons à tête raide. Beaucoup d'hommes ne brûlaient que d'un seul désir : devenir instituteur par alliance en épousant une maîtresse d'école au français endimanché et aux manières de femme-France. Des chauffeurs des transports en commun, après avoir convolé, s'arrogeaient le droit de porter cravate en toutes circonstances afin d'exhiber leur réussite. Hélas, des parfois leur français ne décollait pas plus haut qu'un envol de poule. Ils prenaient alors dictée sur dictée, cours sur cours en cachette pour

1. Personnes de la haute.

atteindre la hauteur d'un parler-écrire acceptable. D'autres plus feignants subissaient le mépris hypocrite des collègues de leur épouse. D'autres espérant un « gros mandat de fonctionnaire » découvraient, au lendemain des noces que tout compte fait le gouvernement faisait des chichetés à ses fonctionnaires. Après trois ou quatre marmailles données vitement-pressé, ils se désintéressaient de l'affaire et continuaient à mener une existence d'injurieurs en méprisant « tous ces gens-là qui se croyaient des mounes plus mounes que tous les mounes... »

La plupart des institutrices fréquentaient les boutiques de mode de Pointe-à-Pitre ou ramenaient de leur congé administratif à Paris de somptueuses garde-robes. Il suffisait à un bijoutier de voir entrer dans son local, en début de mois, une institutrice pour que sa bouche s'élargît en sourires obséquieux et flatteurs. Reines de beauté-France, reine du savoir-France, elles régnaient sur une Guadeloupe où les *mounes-bitasyons*[1], enfonçant leurs pieds dans la boue de la misère, s'accrochaient docilement aux pouvoirs des quimboiseurs et s'extasiaient devant le moindre signe de bien-être.

D'où venaient-elles ? Personne ne le savait !

1. Campagnards.

Elles semblaient tellement différentes des autres femmes que d'aucuns n'hésitaient pas à penser qu'elles arrivaient au monde avec une peau d'institutrice sans passer par les étapes vulgaires de l'enfance et de l'adolescence, sans connaître l'ordinaire des mesquineries quotidiennes.

Mon cerveau ne pouvait être *chouboulé*[1] par ces considérations puisque j'avais la chance d'appartenir à la race noble des fils d'enseignants. Ma mère, mon père, dont je ne voyais pas l'ombrage car il vivait en France, mes tantes Marguerite et Rhéa, mon oncle Henri, mon parrain se baignaient dans l'océan du tableau noir et recouvraient le monde d'une poussière de craie blanche et tenace.

Tous les enfants se souviennent de leur premier jour de classe. Pour moi il n'y eut jamais de première fois. L'école est entrée en moi progressivement, sournoisement, naturellement en utilisant le beau sourire de manman et les récits ensorceleurs des livres.

Au bourg du Lamentin, l'école voisinait avec le square. On y entrait par une cour stupide et sans arbres dont l'élan se brisait sur une immense véranda qui rafraîchissait les salles de classe où des maîtresses s'égosillaient parmi nos têtes terrifiées. Un mugissement collectif

1. Chamboulé.

montait de la bouche des quelque quarante élèves d'une classe.

– *La Gua-de-lou-peee est un ar-chi-peeel, c'est-à-dire com-po-sée d'un en-sembleee d'îleeeees !*

A quoi répondaient dans une autre classe les voix désaccordées massacrant avec fougue une chanson reprise à l'unisson. Les plus grands pliaient-grignaient sous l'autorité veillative d'un maître d'école et souvent un *anmwé* suppliant et désespéré signalait que la sévérité du maître ignorait la pitié. Des lever-le-doigt, des moi-madame, des taisez-vous rythmaient nos matins et nos après-midi. Attelés à nos bancs-tables de bois grossier nous tirions notre charge de leçons, de devoirs et de lectures.

José Cidéron, Moutou, Félix Valier, Eric Blirando, Gérard Maximin, etc., silhouettes solidaires à l'ombre de l'école. Les ailes de l'apprendre nous portaient au plus haut d'une récitation. Nos récoltes de jeux dans la cour enflamment nos rires. Faites vos jeux mais ne touchez pas au nom de Mayou... Aimer l'école n'est qu'une autre façon d'aimer ma mère... Ma maîtresse s'appelait Man Lili, sa voix scintillait et nous gavait de perles. Lire c'est recréer l'âme des choses, écrire c'est fabriquer un nid pour les œufs de la mémoire... L'encre violette répand une douceur d'odeur sur le buvard rose... La plume Sergent-Major réveille l'encrier et les songes aussi...

Chapitre dix :
La confrérie des rougeoleux

Tout allait bien, bien même, la machine des jours et des nuits tournait sur des moyeux bien huilés quand Thérèse entra dans la douleur d'une maladie. Quelle maladie ? Nous ne sûmes jamais son nom. Son corps chétif de megzo se tournait à l'envers à la manière de certains poissons saisis par l'eau bouillante. Elle se tordait et se détordait dans le lit sous le regard compassionné de nous autres. La fièvre et les frissons s'abattirent sur elle et de grosses gouttes de sueur floconnaient sur sa peau virée jaune sûrie. Lorsqu'elle hurla qu'elle voyait serpents, crapauds, bêtes-à-mille-pattes prendre d'assaut la chambre, nous nous demandâmes si Thérèse ne tournait pas folle dans nos mains impuissantes. Nous passâmes en revue toutes les imprudences qui auraient pu lui valoir une maladie « envoyée » de manière malveillante.

Laisser traîner un papier où serait porté son *nom caché*[1] peut mettre en péril l'imprudent. En effet les mauvais esprits toujours embusqués dans l'attente d'une victime s'en emparent pour détruire la substantifique moelle de sa personnalité. *Nom caché, affaire de vigilante protection, ne se donne pas, ne s'indique pas, ne se dévoile pas sans prendre garde ! D'où de nombreux surnoms pour brouiller les pistes et sauvegarder son intégrité. Que peuvent faire les esprits avec Cécette, Kikili, Nonotte, Fleur d'État ? Ce sont leurres...*

N'aurait-elle pas, l'écervelée, accepté un bonbon offert par une vieille femme inconnue ? La diablesse prend ce genre de forme pour tenter les enfants et les faire prendre disparaître. Il y en a que l'on ne revoit plus et il y en a qui deviennent foufous !

A moins qu'elle n'ait joué avec un chien mofwazé au descendant du soir. Nous savions tous que M. Mébot dont la femme tenait boutique au bourg s'amusait à se promener dans sa peau de chien en ricanant lorsqu'il rencontrait une connaissance. D'ailleurs, il lui arriva de ne plus pouvoir retrouver sa forme humaine et l'on dut faire appel au père Rouil pour un exorcisme. Depuis ce jour, qui mit en

1. Deuxième prénom, correspondant du nom du saint du calendrier.

émoi tous les gens du bourg, il traîne plaies et bosses sous une sorte de pelage décati au point que sa femme, pour le soustraire à la vue des langues sales, a dû l'exiler-cacher dans une case au fond des bois.

En d'autres temps, lorsque nous souffrions d'une petite grippe, d'une petite *blesse*[1], d'une remontée de vers, nous prenions tout naturellement le chemin de chez Nannine et de ses plantes miraculeuses, mais devant ce cas incomprenable il fallait la science du docteur Alphonse. Comme dit, comme fait, nous allâmes le quérir à la demande affolée de manman. Il arriva, il palpa, il ausculta, il thermométra, il sortit une papa-seringue longue et piqua Thérèse à plusieurs reprises. Toute la nuit nous veillâmes jusqu'à la disparition des serpents, des crapauds et des mille-pattes. Le lendemain matin, Thérèse émergea et pointa un brin de lucidité dans le monde des vivants. Nous sûmes alors qu'elle serait sauvée. Elle ne fut désormais qu'une banale convalescente, avaleuse de pilules, buveuse de sirops et preneuse de piqûres. A part le fait de nous donner l'occasion de dérober pour le plaisir quelques médicaments, elle ne présenta plus aucun intérêt et nous nous détournâmes de sa maigreur.

1. Traumatisme physique, blessure.

Une autre maladie fut beaucoup plus intéressante. Elle présentait l'avantage d'être contagieuse. Une maladie non contagieuse vous isole des autres et vous amarre au lit comme une grosse tortue retournée sur l'écale de son dos. Tandis qu'une maladie contagieuse vous donne la redoutable puissance de rendre malade tout le monde, de déclencher à volonté une épidémie et de créer le cercle des malades solidaires.

Un matin je me réveillai métamorphosé en coccinelle. Je découvris avec incrédulité dans le miroir un autre moi qui me regardait. Il avait le visage couvert de pastilles rouges. C'était un moi-léopard. Mon corps avait été saisi durant la nuit par une pieuvre géante qui avait disparu en laissant les empreintes de ses ventouses. Cela ressemblait à une chair de poule pustuleuse. Évidemment Guy-Claude et Thérèse pétèrent de rire avec dièse, bémol, bécarre et accord en *do* majeur ! J'abandonnai mon double dans le miroir et je me précipitai dans la chambre maternelle, lieu de toutes les explications et de tous les réconforts.

– Tu as la rougeole.

C'est quoi ça ? Comment on attrape ça ? Mon cerveau roulait à toute, sans frein... Maladie égale docteur. Docteur égale piqûre. Piqûre égale douleur ; autant dire crime contre l'enfance ! Manman cajola-réconforta, expliqua que j'étais contagieux et qu'il fallait m'isoler.

L'idée d'être contagieux me donna une importance certaine à mes propres yeux. Importance renforcée par le regard fier qui sortit du miroir pour plonger dans mes yeux. Ça changeait tout ! J'étais con-ta-gieux ! Le mot même sonnait merveille ! J'avais enfin une qualité réservée à mon unique personne ! Ni Guy-Claude, ni Thérèse, ni même manman ne partageaient ce privilège ! Je me hissais au rang de contagieux du quartier, voire de contagieux du siècle ! Mon orgueil, mon arrogance étouffèrent les rires de ces moins-que-rien de non-rougeoleux.

Je m'installai de plein droit dans mon originalité de contagieux. J'avais droit à un traitement particulier, à des égards d'hôte de marque. Je m'enturbannai la tête avec une serviette de toilette pour bien montrer mon grade. Je m'isolai avec une théière contenant un breuvage supposé salvateur que je dégustais à petites lampées maniérées. J'ingurgitais sous le regard lointain et jaloux des ordinaires en bonne santé. De temps en temps, je geignais sans motif juste pour le plaisir d'avoir une contenance adéquate.

Les premiers jours l'exceptionnelleté de ma

situation m'amusa beaucoup car les amis venaient me reluquer derrière les persiennes. Les jours suivants ma gloire s'évanouit et fit place à une cruelle insignifiance. La vie des jeux, des chants, des farces, de l'école continuait son cours sans moi. J'étais à terre, seul dans mon île-prison déserte, oublié, mort dans mon film dès la première scène ! Chose plus humiliante, manman semblait trouver ma rougeole tout à faitement normale. Elle ne prit même pas la peine de déranger le docteur Alphonse ! C'était la déroute, la déveine, la débandade et mes yeux ne furent plus que deux cercles de honte.

Mon double, consulté en cachette dans le miroir me souffla une solution miraculeuse me permettant de sauver un restant de prestige. Il fallait partager la maladie, la semer comme des graines de riz, la répandre comme la bonne parole : créer la confrérie des rougeoleux. Ouaaaah !

Là même, je hélai Guy-Claude et j'entrepris de lui faire une description alléchante de la rougeole. Ce n'était pas une maladie c'était un bienfait des dieux, une caresse des esprits, une cajolerie du destin pour faire de quelqu'un un être à part. Il y avait autant de beauté dans les rougeurs que dans les fleurs du flamboyant au mois de mai. J'évoquai la majesté des tatouages des chefs indiens pour faire comprendre que la rougeole, agrémentée il est vrai d'improvisations au Mercurochrome, pouvait se considérer comme un signe d'élection. La rougeole élevait le corps au rang d'œuvre d'art ni plus ni moins !

Le scepticisme de mon frère me força à me surpasser. J'inventai la théorie de la rougeole intérieure ! Si pour des yeux ordinaires et somme toute ignorants, la rougeole ne présentait que boutons et rougeurs, il y avait en vérité une autre rougeole dans la rougeole, la rougeole intérieure, vécue seulement par le rougeoleux et dont les effets se révélaient tout simplement prodigieux !

Guy-Claude ouvrit des yeux incrédules où je repérai tout de même quelques tisons d'éblouissement. Je tenais mon bougre ! Il fallait, après avoir tendu l'appât, l'achever. Cette rougeole intérieure, poursuivis-je, procurait bien des avantages. A ce moment, je gardai les yeux clos sur la délectation intime d'un plaisir magique et divin. On a toujours faim ! Et comme on a toujours faim le manger prend un goût de miel, de gâteau, de sorbet-coco selon sa propre volonté. Il faut connaître l'appétit féroce de Guy-Claude pour mesurer la traîtrise de l'argument. Guy-Claude gloutonnait, voraçait, dévorait, vorait, mastiquait, engloutissait, digérait, ograit à longueur de journée pour nourrir une respectable carcasse.

N'as-tu pas remarqué comment manman me gave ? Bouillons divers, morceaux choisis de viande, farine de maïs, pain perdu, blanc de poulet, etc. Guy-Claude souffrait. Son ventre se creusait en frustration profonde. C'est en vaincu qu'il reçut ma botte finale :

– La rougeole c'est le paradis des mangeurs !

Guy-Claude tomba dans l'idée. Je le chargeai avec des airs de haut dignitaire de convaincre les autres et ils arrivèrent tous, impatients, dévoués, dociles. Tous étaient d'accord. Thérèse, Mayou, José décidèrent que j'allais frotter mon bras sur leur visage et qu'ils partageraient mes repas et boissons. Ô zèle des convertis ! J'offris consciencieusement, énergiquement, abondamment mes mains, mes bras, mon visage au cours d'une cérémonie initiatique. A l'inverse des guérisseurs et des quimboiseurs j'avais le pouvoir de rendre malade ! Ô puissance ! Ma timbale contaminée circula joyeusement. Mes microbes trouvèrent des corps et des esprits accueillants. Ils exaucèrent nos vœux et peu à peu tout le monde fut touché par la grâce de la sainte rougeole. La confrérie exista avec d'autant plus de ferveur que nos parents trouvèrent plus commode de nous regrouper dans une même pièce.

Jours délicieux au cours desquels nous plongeâmes dans l'autre temps du temps. Passagers volontaires d'un navire en quarantaine, nous nous amusions à convertir les heures en bouquets de rires, en cerfs-volants de paroles, en ronde du conte, le tout agrémenté de petits déjeuners, de déjeuners, de goûters, de dîners copieux. Par défi, nous allions faire une marche dans la rue de la Prison afin d'exhiber nos bobos et nos croûtes auréolés de rouge. Une fois, nous décidâmes d'aller derrière l'église pour voir si le diable mariait sa fille. Longtemps nous restâmes sous une pluie ensoleillée sans rien voir d'autre qu'un morceau d'arc-en-ciel.

Hélas ! La coquille du temps se cassa et nous retrouvâmes les jours ordinaires des bien portants. Au sortir d'une pareille aventure la vie quotidienne goûtait fade. Mlle Bégarin avait bien ramené d'une lointaine croisière une poupée qui marchait en criant « Maman, je t'aime », Fritz (cousin et protecteur de José) nous avait emmenés faire un tour dans la quatre-chevaux de sa mère en semant la panique dans le bourg car il n'avait que quatorze ans, mon cœur s'enciélait en volant quelques baisers à Mayou mais tout cela ne créait que des secousses merveilleuses vite dissipées dans la monotonie. Il manquait un événement, un bouleversement de l'ordre habituel, une trouée héroïque dans la carapace rigide du temps. C'est ce qui advint quand Ti-Saint-Louis chavira la barque paisible du bourg.

Chapitre onze :
Un gourmeur de première

Ah Ti-Saint-Louis ! Il y a toujours dans une commune un allumeur de feu, une sorte de volcan ambulant qui ne demande qu'à exploser, un gourmeur de première prêt à acheter les causes des plus capons, un sac à combats toujours paré pour distribuer coups de poing *(kyok !)*, coups de pied, coups de tête et des modèles non encore inventoriés dans le livre des désordières. Au Lamentin où il ne fallait piler le pied de personne au risque de faire monter une mauvaiseté dormant à l'en bas de l'en bas, Ti-Saint-Louis officiait en grand maître *dékatyè*[1] au service d'une justice dont lui seul possédait le code. Son cerveau fonctionnait sans fêlure puisqu'il avait passé les hauts grades des diplômes pour devenir instituteur mais il avait préféré renoncer aux macaqueries des fonctionnaires pour s'adon-

1. Casseur de reins.

ner à la vraie vie bouillonnante dans les entrailles de l'usine Grosse-Montagne où la misère purgeait le foie des malheureux mais où, aussi, un *voukoum*[1] d'événements pimentait l'existence et la rendait plus chaude que les eaux chimériques de Bouillante.

Nous avions recours à Ti-Saint-Louis pour démêler les fils embrouillés d'un problème de mathématique ou d'une question grammaticale. Il prenait plaisir à surgir derrière les fenêtres de la classe et à tenter de décontrôler le maître en contredisant ses explications. Tout le monde le connaissait et personne ne cherchait à mettre en train sa colère vengeresse.

M. Bonardin faisait marcher-tourner sa boutique au beau mitan du Lamentin dans une grande bâtisse en bois, en face de la pharmacie de M. Myrtil. Sans mentir, la boutique cadençait raide une ambiance des plus animées. Marchandises et paroles voltigeaient sur le comptoir plus vite que le souffle du vent. Les blagues tombaient comme des mangues mûres, les provocations agaçaient-chauffaient les femmes, les déboires de la vie s'y déversaient et tout cela alimentait le four des rires qui comme on le sait sont les meilleurs médicaments contre la déveine.

1. Ici : suite mouvementée.

M. Bonardin, brave Blanc-pays, ne se distinguait en rien de sa clientèle mis à part une camionnette qui l'appelait maître. Personne n'étant regardant, le bien-être d'autrui n'inspirant aucune envie, Bonardin avait acquis le statut de « moune à toute moune » serviable et sans jactance. Il chevauchait le créole avec l'habileté d'un maître-conteur, il cueillait les rires dans les branches des paroles brocantées devant son étal et il portait bien les manœuvres nécessaires à la satisfaction de sa clientèle. Rien d'étonnant à ce qu'il allât consulter les quimboiseurs pour s'allier aux esprits pourvoyeurs d'un la-monnaie sans finissement. Une petite bougie au fond du tiroir renforcée par une composition, une paire de ciseaux et un fer à cheval sur une poutre, un petit arrosage matinal du trottoir, une petite prière pliée sous la balance n'ont jamais nui aux affaires.

Peut-être que parfois la déveine s'égare et tombe sur la mauvaise tête. Peut-être ! Peut-être aussi qu'il ne faut jamais manquer de respecter les promesses faites aux esprits ! Peut-être ! Peut-être enfin qu'une queue de puce suffit à déséquilibrer le destin. Peut-être !

Toujours est-il que, pour lui, le destin prit la forme dépenaillée de Marie-Édouard. Qui est Marie-Édouard ? C'est bien ça que tu demandes ? Alors bon ! Évidemment tu ne le trouveras dans aucune page du dictionnaire ni à Marie, ni à Édouard ! Non, non, non ! Aucun maître d'école n'a parlé et ne parlera de Marie-Édouard ! Et ce n'est pas la peine de chercher dans un livre d'histoire ! Pourtant Marie-Édouard a existé !

Que donc, Marie-Édouard habitait la catégorie des va-nu-pieds. Ouais ! Un va-nu-pieds debout sur un seul pied puisqu'il n'avait qu'une seule jambe. Une vieille béquille sale et usée servait à équilibrer sa vie. Une vie en couillonnade. Un restant de vie concédé par le mauvais sort en attendant la mort, mais c'était sa vie. Un peu de rapine, un peu de mendicité, beaucoup de rhum et des kilomètres d'errance. Inventer chaque jour la journée d'aujourd'hui et trouver chaque nuit un trou pour sa jambe et sa béquille. Plus souvent que rarement lâcher son corps dans un recoin du marché, de l'école, de la justice de paix, de l'église sans compter les hangars, les *pitts-à-coqs*[1], les cases abandonnées. Marie-Édouard traînait sa béquille de-ci, de-là, tournant un peu toc-toc dans la nasse de son existence. Personne ne prenait soin de lui mais tout le monde l'acceptait comme qui dirait un lointain parent tombé dans le caniveau de la vie. Ainsi allait

1. Lieux où se déroulent les combats de coqs.

Marie-Édouard et ma foi ce n'était pas plus mal ainsi.

Ce jour qui fut jour de Ti-Saint-Louis, Bonardin avait rangé sur le trottoir quelques caisses de pommes de terre (*ponmditè,* vocalisons-nous !).

De vieilles pommes fouillées en terre de France, charroyées dans les cales d'un bateau, pourries dans quelque entrepôt et exposées là sur le trottoir, au Lamentin, comme la septième merveille du monde ! Si tellement de *fouyapen*[1] fondent dans la délectation d'un court-bouillon-poissons que cela ne valait pas la peine de faire des chichitances ! Vraiment pas la peine !

Marie-Édouard, poussé par le démon du jour, visionna, supputa l'aubaine, vira de bord avec la hardiesse d'un corsaire et s'empara vitement d'une caisse et poursuivit son chemin alourdi par son butin.

Bonardin causait derrière son comptoir mais de temps à autre il longuevillait d'un œil vigilant ses ponmditè sur le trottoir. Il vit d'un seul tenant l'auteur et le corps du délit. Il bondit sur Marie-Édouard et lui arracha d'un seul coup sa béquille. Le voleur, déséquilibré, tomba, blip ! et se mit à pleurer sur un tapis de pommes de terre.

1. Fruit à pain.

C'est à ce moment là que Ti-Saint-Louis fit son entrée pour le plus grand malheur de Bonardin.

Ti-Saint-Louis n'avait jamais de sa vie supporté une injustice. Souventes fois, sur le marché, il observait placidement une partie de grains de dés avant d'intervenir comme un ouragan contre un supposé tricheur. En tout lieu, à toute heure, Ti-Saint-Louis se considérait investi du pouvoir de redresser les torts. Il s'ensuivait de belles bagarres au cours desquelles il déployait un savoir-faire prodigieux enrichi par la traîtrise d'un *gros pied*[1] camouflé sous la jambe de son pantalon.

Messieurs et dames, Ti-Saint-Louis vit de ses gros yeux veinulés Bonardin flanquer deux maîtresses gifles à un Marie-Édouard totalement désarticulé... Bouillon pour malade ! Il faisait beau ce jour-là. Le ciel semait une bleueté lumineuse et transparente.

Le soleil colorait beau le temps. Une biguine espiègle s'échappait d'une radio... Brusquement, le temps vira mauvais pour Bonardin.

Une avalasse de coups de poing s'abattit sur son corps. Une volée de calottes tempêta sur son visage. Un cyclone de coups de pied aplatit ses fesses. Appelons cela une profitation !

1. Éléphantiasis.

Lorsque Ti-Saint-Louis réalisa que Bonardin avait encaissé sa charge de coups, il s'arrêta en murmurant comme à regret :

– *Vou menm osi ! Es ou té oblijé fè mwen asasiné-w kon sa*[1] *!*

Bonardin, en pièces détachées, retourna à sa boutique où pour laver sa honte il téléphona à la gendarmerie. Ti-Saint-Louis prenait un *seksek*[2] quand les quatre gendarmes du Lamentin débarquèrent.

– Monsieur ! Vous êtes bien M. Louis Bométal dit Ti-Saint-Louis ?

– Assuré et pas peut-être ! Et vous quel est votre nom ?

– Monsieur Bométal, c'est moi qui pose les questions au nom de la loi !

– Monsieur Laloi, c'est moi qui pose aussi les questionnements au nom de foutez-moi-la-paix !

– Ne faites pas le mariole !

– Et moi je vous dis ne faites pas le cherche-désagréments !

– Vous êtes accusé de coups et blessures, de voie de fait sur la personne de M. Bonardin et de complicité de vol d'une caisse de pommes de terre appartenant au même M. Bonardin...

– Et d'abord, en tout premièrement, M.

1. Tant pis pour toi ! Tu n'aurais pas dû me donner l'occasion de te rouer de coups !
2. Verre de rhum sec.

Bonardin n'a pas de personne. Et, en deuxièmement, je n'ai jamais touché à pas même le commencement de l'ombrage d'une tête d'épingle appartenant à quiconque. Jugervoire à M. Bonardin ! Et j'ajoute, en troisièmement, que tout malappris qui maltraite un pauvre infirme sans défense devient un chien qui ne mérite que coups de pied et crachats. Je fais remarquer enfin que je n'ai pas encore craché sur la figure de Bonardin !

– Papiers d'identité, s'il vous plaît !

– Alors bon ! *Mi bab mi*[1] *!* Vous sortez derrière le dos des mers pour venir demander aux gens d'ici des papiers d'identité ! Mais c'est vous l'étranger ici ! Monsieur Laloi, allez chercher un travail sérieux à faire ! Par exemple, planter des ignames, au lieu d'encombrer votre bouche de paroles inutiles ! Tout le monde me connaît ici et jusqu'à La Pointe ! Et que donc je n'ai besoin de pas un seul papier ! Mon identité c'est moi-même !

– Monsieur Bométal, nous sommes chargés de faire respecter la loi. Vous êtes en train de troubler l'ordre public.

– Où voyez-vous, monsieur Laloi, ni ordre ni public troublés ? Votre loi Blanc-France n'est qu'une emmerdation pour les malheureux. Moi, Ti-Saint-Louis, je frappe fort

1. Quelle affaire !

mon estomac et je répète : tout profitant sera puni ! J'ai dit !

– De sorte que, monsieur...

– De sorte que foutez-moi le camp avant que la colère ne reparte avec moi. Allez mesurer la rue, loin, bien au loin de moi !

– Monsieur, nous nous voyons dans l'obligation de vous conduire à la gendarmerie pour outrage aux forces de la loi. Suivez-nous !

En guise de réponse, Ti-Saint-Louis, au grand effroi de Bonardin, s'allongea de toute sa grande longueur dans la boutique et demanda aux gendarmes de le porter puisqu'ils avaient la prétention de le conduire en *quèquepart*.

Il y avait là un mètre quatre-vingt-dix et quelque cent kilos d'insolence et de rébellion à remuer. Les gendarmes essayèrent en vain ! Ahaaak ! Rien à faire ! Le plus philosophe d'entre eux parla d'entrave à la loi, ce qui fit éclater de rire nostrom. Bien vite d'ailleurs le rire se transforma en laides manières car Ti-Saint-Louis passa à l'offensive.

Messieurs et dames, ce que virent nos yeux d'enfants ajoutés à ceux des grandes personnes fut digne des meilleurs westerns. Ti-Saint-Louis se redressa et commença à cogner. Du bon cogner ! Des qualités de coups de poing inconnus sur les rings de boxe ! Des coups de tête tout droit sortis du répertoire africain. Des bourrades de *sauvé-vaillant*[1] ! Des coups de pied dignes des plus beaux *laghias*[1] de la Martinique ! Des *pétés-graines*[2] ! Des coups de pilon ! Il chargeait l'un, étourdissait l'autre, entamait un troisième, revenait au premier, se débarrassait du quatrième ! Tout cela dans une voltige surprenante pour sa corpulence. Il battait des marches arrière, trouait des percées, esquivait et moulinait à tour de bras. La foule enthousiasmée, comblée par le bonheur de voir les *lalwa*[3] se faire écrabouiller, encourageait Ti-Saint-Louis. Bonardin, de plus en plus inquiet, appela les gendarmes de Sainte-Rose en renfort. Encerclé, notre *malnonm*[4] prit le parti de se replier et de s'adosser à la porte de l'église. La foule le crut perdu quand soudain elle entendit :

– *Ponpi pwan-y di tonn*[5] !

Ti-Saint-Louis déblayait, balayait, dépaillait à grands coups de pied. Les gendarmes dégringolaient obligeant le public à refluer. D'autres gendarmes arrivèrent de Pointe-à-Pitre. Ils matraquèrent à qui mieux mieux et ils réussirent au prix de mille difficultés à capturer un

1. Sauvé-vaillant, laghias : luttes pendant les veillées mortuaires.
2. Casse-couilles.
3. Gendarmes, policiers.
4. Téméraire.
5. Vas-y, écrabouille-le, tonnerre !

Ti-Saint-Louis fatigué, essoufflé, bosselé, mais acclamé par les témoins. Bonardin avait disparu. Les supporters de notre héros déversèrent sur sa boutique une rage mémorable. Lorsqu'elle cessa il ne restait que ruines, débris, restes d'un saccage vengeur. Tandis que mourait la boutique de Bonardin naissait la légende de Ti-Saint-Louis.

De nombreuses années plus tard, lorsque son corps d'homme mort traversa les communes, à l'avant d'une camionnette, à côté du chauffeur, cigarette au bec pour éviter les formalités requises en donnant l'illusion de la vie, nous pleurâmes son courage. Jusque dans sa mort, il avait défié la loi !

Major dort en l'immortelle chaleur de la mémoire. Ils baptisèrent « désordre » tes refus dont le fil n'est que le déroulé d'une touffe ancestrale. Les autres acceptaient leur démarche de vaincus... Toi seul, debout, niais la sape sourde d'un temps à venir... qui aujourd'hui nous emporte dans l'usure de nous-mêmes... Et nous cherchons en vain l'insoumission mais notre sang est gâté par une odeur de cage et de cirque...

Chapitre douze :
L'en-France

De temps en temps nous recevions des cadeaux venus d'en-France. C'était mon père qui nous les envoyait. Mon père, c'est-à-dire une photo qui trônait dans le salon et un mystère. Manman nous racontait qu'il vivait à Paris. Nous avions beau essayer, nous ne pouvions imaginer Paris. Manman affirmait que nous avions vécu autrefois à Villers-Cotterêts et pour nous le prouver elle ouvrait l'album de photos. Pourtant nous fouillions désespérément notre cabèche et nous ne rencontrions que Castel et ses mornes, le bourg du Lamentin et sa rue de la Prison et la ville de Pointe-à-Pitre avec ses magasins et ses marchandes.

L'en-France pour nous ne pouvait être un pays. C'était un lieu mythique sans autre temps que celui de nos livres d'histoire et sans autre espace que celui de notre livre de géographie. Une sorte de paradis céleste ou de royaume des morts. Les grandes personnes mettaient une telle application à prononcer le mot France qu'à nos oreilles il sonnait comme le sésame de toutes les félicités. Partir en France créait chez les gens un état voisin de l'extase.

Être né en France conférait un statut à part. Nous rêvions une terre promise, une terre d'abondance et de beauté. Une terre où tous les arbres donnaient des pommes-France, où tous les moulins produisaient de la farine-France, où il pleuvait des dragées roses sur la tour Eiffel, où le père Noël sillonnait le mois de décembre avec des cadeaux pour tous les enfants du monde.

Nous rêvions car avant tout l'en-France se rebellait contre toute tentative de matérialité. Quand nous demandions au soleil de dessiner la neige il nous répondait par une quête d'ombre et un chapeau de paille. Alors, pour nous venger, nous fabriquions des bonshommes de neige avec de la paille et de vieux vêtements. Quand nous parlions saison, l'hivernage et le carême s'obstinaient à diviser le temps en deux tranches au lieu de quatre. Puisque autour de nous la pauvreté tétait les corps, l'en-France se devait de danser dans la graisse de la richesse.

Alors nous cherchions l'en-France sous les

feuilles des livres. Manman possédait un énorme livre de cuisine au moyen duquel je plongeais dans les photos des plats. Le manger-France s'étalait là, à portée de main, sous le vernis des couleurs. Un manger artistique comme un tableau que je dévorais des yeux ! Les volailles, les poissons, les gibiers (manman, c'est quoi un chevreuil ?) accommodés de mille et une façons, le vert des lits de cresson, le jaune des mayonnaises, le rouge des homards dansaient pour moi une danse de perdition. *Divines offrandes comblant ma satiété, me proposant le plongeon exquis dans l'ivresse d'une fête culinaire à la fois exotique et délirante !*

Je cherchais l'en-France dans l'encyclopédie littéraire de manman. Je contemplais d'étranges visages qui s'incrustaient dans mon monde intérieur comme les saints d'une religion secrète. La tête chauve de Montaigne, les fossettes de Jean-Jacques Rousseau, la barbe blanche de Victor Hugo, le cou énorme de Balzac m'étaient devenus familiers bien que j'eusse du mal à les apprivoiser.

Dans d'autres livres je vis des jardins beaux comme des gâteaux. Les châteaux, les cathédrales, les fleuves, tout évoquait une puissance impériale. Je n'eus aucune peine à croire que de Gaulle était le roi de France.

Qui m'eût parlé de paysan français eût provoqué un rire apitoyé et incrédule. En France il n'y avait ni terre, ni boue, ni malheureux, ni paysans, ni servantes, ni marché, ni misère.

J'en étais là de mes croyances lorsque Nannine d'une seule phrase causa plus de dégâts qu'un cyclone enragé.

En cette saison-là, les murs s'étaient couverts d'affiches contradictoires. Les unes hurlaient « OUI », les autres opposaient « NON ». Je me creusais la cervelle sans trouver une miette d'explication. Je confiai ma perplexité à Nannine. Elle me répondit d'une voix indignée :

– *Sé moun la vlé woumet nou an esklavaj*[1] *!*

Mon corps tomba dans un tremblement...

– Qui veut nous remettre en esclavage ?

– Les ennemis du général de Gaulle !

Mon univers s'écroulait. Personne ne m'avait réellement parlé de l'esclavage mais une mémoire confuse me soufflait que cette horreur concernait les Nègres et le fouet.

L'idée que des *moune-France*[2] pouvaient avoir la volonté de nous remettre en esclavage me terrifia. Je devins tout frette, tout silencieux, tout chimérique. La chose me semblait tellement monstrueuse que je décidai de n'en rien dire à Guy-Claude, à Thérèse et encore moins à Mayou ! J'avais entendu raconter que

1. Ils veulent nous remettre en esclavage !
2. Français.

les Nègres qui refusaient l'esclavage marronnaient dans la montagne. Un matin, après avoir prié, je pris la décision d'aller me cacher dans un champ de cannes. La tête en feu, le cœur angoissé, les jambes molles, je m'enfonçai le plus loin possible et, fatigué, je m'affaissai, attendant en larmes une mort certaine. Heureusement un gardien m'avait suivi et c'est ainsi qu'il me retrouva la peau maltraitée par les piquants, les fourmis, les feuilles des cannes, à demi évanoui, refusant obstinément d'expliquer le pourquoi de ma fugue. Il me ramena de force à la maison. Ma mère stupéfaite se demanda si je n'avais pas perdu la raison. Elle m'interrogea, me menaça, me câlina longtemps. Finalement je crachai d'un seul coup :

– Je ne veux pas retourner en esclavage !

Manman resta sans souffle. Elle parut chercher de l'air puis elle trouva la force de bégayer :

– Quoi ? Qu'est-ce que tu dis ? Mais qui t'a parlé de ça ?

– Nannine !

– Comment, Nannine ? Qu'est-ce qu'elle t'a dit ?

– Elle m'a dit que... Elle m'a comme ça... Elle m'a dit que les gens-France qui sont contre le général de Gaulle veulent nous remettre en esclavage !

– Qu'est-ce que c'est que cette histoire ?

– C'est pas une histoire, c'est Nannine qui a dit...

Manman demeura longtemps silencieuse. Elle poussa un long soupir et elle entreprit de m'expliquer. *L'esclavage c'était une chose d'antan-longtemps. Nous vivions sous le régime de la république : liberté-égalité-fraternité ! Tout le monde était pareil malgré les différentes couleurs de peau. Schœlcher... Abolition... 1848... Département français... Congé administratif... Référendum... Fraaance !*

Apaisé, calmé par la voix doucereuse de manman je gardai au fond de moi un reste de méfiance vis-à-vis du monde des Blancs-France. Je ne m'aventurais plus trop près du presbytère et si je croisais un gendarme je changeais prudemment de trottoir ou je dévirais bord sur bord !

Je posais sans arrêt des questions sur Schœlcher, Delgrès, les Nègres-marrons, et manman comprit bien que l'inquiétude ne m'avait pas quitté. Pour tenter de me guérir, elle décida de nous emmener voir l'arrivée du préfet à l'aéroport du Raizet.

La certitude d'approcher un monstre comme le Constellation nous excita durant plusieurs jours. Un aéroport c'était déjà un morceau d'ailleurs, un morceau d'en-France !

Nous avions vécu le départ de tante Rhéa,

avalée et emportée par l'énorme paquebot *Colombie.* Tout était lenteur et douleur, larmes et mouchoirs surtout au moment déchirant du barrissement.

Un paquebot ! Muraille qui se détache sournoisement du quai. Les bras agitent un désespoir et s'allongent pour tenter de ressouder ce que l'eau a déjà déchiré. Un battre-manman de souffrance. Des mouchoirs blancs s'envolent par-dessus la peine. L'angoisse pose la question du quand reviendra-t-elle. Un corps amputé s'en retourne attendant déjà la première carte postale venue de l'en-France...

L'avion était affaire de riches et de gros modèles à gros mordants. Il conservait dans ses ailes la poésie du cerf-volant, la folie douce de l'oiseau et le cousinage de l'étoile. Telle une vague, l'avion emmène et l'avion ramène vite. Oh je croyais qu'Untel se trouvait en France ! Non ma chère, il est arrivé hier, par avion ! Qui prend l'avion n'est pas un voyageur, c'est un déplaceur. Un foufou amoureux de dix mille fleurs. Un croyant qui revient toujours mourir au pied de la croix. Le bateau, lui, est un destin qui se joue au port d'arrivée...

Une foule endimanchée se bouscule à l'aéroport. Les gens se reconnaissent, échangent des sourires et des poignées de main, partagent la même sueur. L'air est une étouffaille malgré la lutte inutile des ventilateurs. Le soleil fait la poule. Il abandonne le combat. Des lumières crues inondent la terrasse où les privilégiés s'enflent d'orgueil. Nous commençons à sentir la fatigue lorsque la foule, tel un troupeau paniqué, se rue et s'agglutine aux abords de la piste. Juché sur les épaules bienveillantes d'un monsieur, j'aperçois le clignotement d'une énorme luciole dans le ciel. Le Constellation arrive...

Une clameur de carnaval monte de la terrasse. Dans un vacarme de moteurs, le Constellation atterrit et se gare presque en face de nous. Des hommes roulent un escalier vers l'avant de l'appareil. Une porte s'ouvre. Le préfet apparaît. Vêtu de blanc, il ouvre les bras et la foule pousse un grand woulo-bravo. Le ballet de Mme Adeline s'aligne en haie d'honneur. Le préfet a mis pied à terre, des importants convergent vers lui pour l'escorter. Les tambours explosent. Les matadors chantent et dansent. Nous nous retrouvons tous dans le hall d'arrivée. La musique du ballet folklorique, la bousculade, la chaleur me donnent le vertige. Heureusement manman bat le rappel du départ. Dans la voiture elle me parle de représentant de l'État, de république, mais je m'endors... Pas rassuré pour un sou... Préfet, gendarmes, l'armée, la loi, tout ça c'est même pareil d'après ce que j'ai vu !

Chapitre treize :
Médard

Ceux qui veulent m'appeler me nomment Médard. C'était un nom bien commun à cette époque. Vous pouvez vous demander ce que je viens faire dans cette histoire. Vous avez le droit de poser mille questions. Vous pouvez me condamner parce que je vole la parole. Tout cela ne m'empêchera pas de surgir de cette trace d'enfance et de m'imposer comme un héros.

Cet enfant vous dira que je suis un mulâtre et il n'aura pas menti. Mes cheveux brillaient comme un clair de lune. Ils offraient leur souplesse à toutes les femmes qui tombaient d'amour. Mais ce n'est pas pour parler de ça que je suis là. Si j'ai pris la parole c'est parce que j'avais une moto. Une superbe moto verte ! Une B.M.W. ! Maintenant les motos courent comme des chiens dans les rues mais dans ce temps d'enfance les motos se comptaient aussi rares que les Nègres aux yeux bleus. Quand je paradais sur ma moto tous ces petits suceurs de pouce, pisse-au-lit, buveurs de lait et de contes tétaient l'émerveillement.

Parfois, pour secouer leur joie, je les emmenais faire un tour (en fait nous parlions de faire un carré car les rues du bourg se croisaient en perpendiculaires). Je sentais leurs petites mains qui s'agrippaient à moi. J'entendais les rires qu'ils semaient. J'entrais avec eux dans l'extase d'un plaisir.

– Encore et encore ! criaient les insatiables en taquinant le vertige mêlé à la frayeur d'une pointe de vitesse.

Une moto c'est la fiancée du vent et fendre l'air a toujours grisé les hommes. Un pêcheur debout, à l'arrière de son canot ou bien tout simplement un enfant bercé par une branche d'arbre explorent, à leur manière, la doucine d'un *malfini*[1] qui plane.

En ce temps-là, peu de motos appelaient un Nègre « maître » et la plupart rehaussaient le prestige des C.R.S. ! Oh les C.R.S. ! On les voyait passer deux par deux, plus fiers que les commandeurs d'antan-longtemps et prêts à tout pour éblouir les créoles.

Les jours de courses cyclistes, se dresser

1. Aigle des Antilles.

subitement sur les pédales ! Se mettre debout sur la selle ! Mettre une jambe à l'équerre en rasant le public pour l'obliger à dégager la voie ! Les jours de fête, se livrer à des acrobaties incomprenables ! Pyramide humaine sur une ou deux motos ! Jeux d'équilibre sur une seule roue ! Ballet de motos ! Autant de gestes-macaques qui nous laissaient hébétés, ébaubis, ababas... J'en discutai avec Turenne (toujours prêt à argumenter comme quoi les Blancs-France ne sont pas plus en pointe que nous autres) il se contenta d'observer :

– Ils sont forts sur leur moto mais qu'on aille leur demander de grimper à un pied-coco !

L'arrogance de ces voltigeurs m'indisposait. Depuis quand une paire de bottes, un pistolet pendouillant sur la hanche, une moto noire donnent-ils le droit de faire la loi ici-dans ?

Je peux conter ici même des histoires de hors-la-loi bien-aimés. Eux aussi modelèrent les reliefs de l'enfance de ce ti-bougre ! Ils enseignèrent un refus, une droite position de piquet aux aguets et inspirèrent toujours une compassion.

Ainsi Antoine, dit Antoine-Rate, tout fier d'avoir acheté une radio qu'il vénérait. Alors qu'il ne connaissait pas un brin d'anglais, il n'écoutait que des émissions américaines des heures durant pour entendre le bruit du monde.

– *Radyo la telman fo, i ka jis palé anglé*[1] *!*

Après, rassasié, il s'en allait dans les rues répétant à tue-tête un charabia sans devant ni derrière pour « goûter la langue ». La grosse blague consistait à lui demander les nouvelles du jour. Sérieux comme un pain rassis, il inventait sans vergogne des informations délirantes.

– *Yè o swè dlo monté an Chine i kouvè tout sé montangn la ! Tout chinwa kouri kaché en Fwans*[2] *!*

Alors imaginez Antoine en face d'un huissier qui vient le saisir pour des histoires de redevance !

– Monsieur Antoine, vous ne vous êtes pas acquitté de votre redevance et malgré de nombreuses lettres de relance vous n'avez pas jugé utile de vous manifester. Je viens...

– Je ne connais ni devance, ni re-devance ! Je n'ai pièce commission pour lance et relance ! C'est ma radio qui est dans ma case. Je n'ai *hak* à payer pour écouter ma radio ! Allez demander l'argent aux Méricains car c'est uniquement avec eux que je fais commerce. Et pour premièrement sortez de chez moi !

1. La radio est si intelligente qu'elle sait parler anglais !

2. Hier soir, il y a eu une inondation en Chine : même les montagnes étaient inondées, si bien que les Chinois sont allés se réfugier en France !

Au bout de quelques minutes de croisement de langues, passé les injures, Antoine fait chanter les étincelles de son coutelas. Esquive, retraite, galopade de l'huissier que disparaître prend à toute vitesse...

Moi-même, Médard, j'ai déposé une légende dans la tête de cette marmaille.

Je prenais plaisir à provoquer les C.R.S. avec ma moto jusqu'à ce qu'ils me prennent en chasse. Je les entraînais dans tous les chemins-chiens, dans toutes les traces, dans tous les trous sans nom. Je les semais et puis je rentrais chez moi où m'attendait l'admiration de mes fanatiques.

– Raconte-nous, Médard ! Raconte-nous !

Je racontais en Robin des Bois de la moto, en Tarzan seigneur de la jungle, en Nègre-marron, et leurs petites oreilles s'ouvraient sur des chants d'épopée.

Quand j'ai entendu les fourmis folles porter sur ma tombe les nouvelles de ce petit Ernest en train de filer le fil de son enfance alors je n'ai pu retenir mon corps. Je suis venu et me voilà dans sa parole car j'ai compté pour lui...

Mille excuses pour l'entrée de Médard ! Il en va ainsi des souvenirs. Certains savent rester à leur place et se manifester docilement à la demande. Ils répondent « Oui, maître ! » et ils arrivent sagement quand vient leur tour.

D'autres, plus effrontés, surgissent comme ça, sans même crier bonjour et demander passage. Ils s'installent comme s'ils rentraient chez eux pour troubler l'ordre de l'oubli.

Le fil de la mémoire n'est pas une rivière qui descend vers la mer tout droit, tout droit... Il se casse, s'embrouille, s'emmêle et se démêle tout en enjolivant le tissu du temps comme une broderie sortie des mains des femmes de Vieux-Fort.

Laissons le fil faire ses affaires. Nous découvrirons qu'à l'autre bout plane, tel un cerf-volant enchanté, un passé tout vivant et tout chaud...

L'enfant en nous nous regarde et nous dicte. Il panse les plaies du présent. Il sait que si nous changeons de jouets notre âme perdure et se souvient.

Chapitre quatorze :
Papa

Au bas du bourg, non loin du canal déchiré par la proue des canots, le maire a fait construire un lavoir tout blanc. C'est là que je vis mon père pour la première fois.

Nous poussions nos cris autour de la servante plongée dans une lessive. Soudainement un homme surgit. Un bel homme noir. Il a une prestance de prince dans son costume de lin. Ses chaussures bien cirées brillent comme du métal. Avec son chapeau, il a l'allure d'un acteur ! Tout de suite nous comprenons qu'il vient d'un autre monde, qu'il sort d'un autre temps ! Tout en lui suggère la perfection de l'en-France ! La servante est comme commotionnée. Elle ne trouve rien à dire. Nous, nous avons deviné. C'est papa !

Je regarde ce père apparu mystérieusement, sans prévenir. Je le contemple. Il est plus beau que les photos. Son rire nous enveloppe et nous dansons de joie en scandant :

– Pa-pa ! Pa-pa !

Il nous prend dans ses bras. Il nous soulève. Quelle force !

Dehors, nous découvrons une Simca Aronde toute noire, lustrée comme dans les films. Les enjoliveurs nous éblouissent. Notre papa a une voiture ! Nous nous y engouffrons, intimidés par tant de luxe. Papa raconte des choses auxquelles nous ne comprenons rien. Il a fait Paris-Marseille pour aller prendre le bateau !

– Qu'est-ce que Marseille ?

– C'est une grande ville.

– Et Pointe-à-Pitre ?

– Non, Pointe-à-Pitre est une toute petite ville.

Un silence gêné pèse sur notre langue. Notre Pointe-à-Pitre ! Une petite ville ! Cela ne se peut ! Guy-Claude, plus audacieux, demande combien de kilomètres séparent Paris de Marseille. Papa sort un chiffre astronomique : neuf cents kilomètres ! Ce n'est pas possible ! A coup sûr papa nous donne des baboules ! Neuf cents kilomètres de route cela ne peut exister !

Manman nous accueille à la maison. Elle ne peut cacher sa joie. On la sent toute petite, presque noyée, dans cet immense bonheur. Elle lâche quelques larmes en nous voyant sauter comme des cabris autour de notre père, son mari, revenu après huit ans d'absence ! Elle ne le verra plus par intermittence. Il est là, pour toujours.

La maison est devenue une véritable caverne d'Ali Baba ! Trente douze mille trésors ramenés de l'en-France nous espèrent. Des cadeaux pour chacun d'entre nous. Une toupie chantante pour Guy-Claude, une poupée noire pour Thérèse, une voiture à pédales pour moi ! Ouaye foutre !

Il n' y a pas que les cadeaux ! Il y a tout ce que papa a rapporté pour lui-même. Des boîtes à chapeaux que nous ouvrons avec avidité, des dizaines de paires de chaussures, des entassements de chemises blanches, des rangées de costumes, des robes de chambre, des peignoirs, des etc. d'objets inconnus de nous. Un banal chausse-pied nous fascine ! Des gants en cuir déclenchent une dispute... Merveille des merveilles, papa possède aussi une bibliothèque ! Je caresse la peau des livres. Je feuillette fébrilement les pages. Je me perds dans les illustrations. Tout cela prend place dans notre vie avec l'odeur d'une fumée bleue qui s'échappe de la pipe.

Notre euphorie sera de courte durée. Peu à peu nous découvrons que ce père tellement admiré a de drôles de manières. Une litanie d'interdictions nous tombe dessus avec raideur. Il est interdit de faire du bruit. Il est interdit à Thérèse de sucer son pouce. Il est interdit à Guy-Claude de faire des acrobaties. Il est interdit à tout le monde de sortir. Plus de promenades dans les environs, plus de drives, plus d'escapades sur le stade. Parler créole devient dangereux et pour ma part je conclus que papa nous interdit d'être des enfants...

A vrai dire, il veut faire de nous des enfants de l'en-France ! Nous apprenons à cirer nos chaussures, à ranger nos vêtements dans l'armoire, à devenir studieux, à cultiver les bonnes manières, à prononcer correctement, à articuler.

Peu à peu, nous devenons peureux, gênés par nous-mêmes, embarrassés par notre enfance et hypocritement sages en présence de monsieur papa. Un bout de pain dérobé dans la cuisine déclenche une volée de calottes. Une expression créole est avalée à coups de poing. Une porte qui claque fait sortir la ceinture. Manman n'y peut rien ! Elle multiplie les caresses, les mots doux, mais notre angoisse redouble chaque fois que papa rentre.

Nous quittons la rue de la Prison pour emménager au logement des maîtres. C'est un immeuble tout neuf où nous nous sentons comme des exilés. Mayou et José sont partis vivre en France car M. le Maire est devenu sénateur de la République. Je suis désemparé, endolori et je travaille avec rage pour oublier.

Parfois n'y tenant plus, je prends la route de Castel pour rendre visite à Nannine. Je me remplis les poumons d'une liberté volée. Je redécouvre l'amitié des arbres et des ravines. Une mangue suffit à ma joie et l'amour aura l'odeur de Nannine.

Manman, elle-même, de temps à autre outrepasse les diktats de monsieur papa. Elle nous emmène au cinéma, non loin de notre maison. Le lendemain alors que nous sommes en train d'apprendre « a-e-i-o-u », nos ancêtres les Gaulois et le plateau de Langres, monsieur papa est venu et a emporté toutes ses affaires. Il a charroyé sans même nous prévenir !

Manman a compris tout de suite qu'il avait pris son bord. Elle s'est mise à rire et à faire comme si de rien n'était. Puis elle nous a dit d'un ton triste :

– Votre père est parti !

D'abord nous avons mal compris. Nous avons traduit : votre père est sorti ! Puis nous avons vu des larmes trembler sur les joues de manman.

– Pourquoi pleures-tu ?

Manman a répété d'une voix lasse :

– Votre père est parti !

– Comment ça parti ? Parti où ça ? Tu veux dire qu'il ne reviendra pas ?

– Il ne reviendra plus !

Silence, consternation, rideau !

J'ai oublié de dire qu'à ce moment-là manman était enceinte ventre gros. Étant l'aîné, je pris la charge, du haut de mes huit ans, d'être le chef de famille. Je faisais les courses. Je contrôlais les leçons. J'appelais un voisin pour m'aider à déboucher un évier. Je réclamais le silence et je me donnais des airs à la monsieur papa !

Capitaine du navire, je portais toutes sortes de manœuvres pour épargner à manman un surcroît de tracas.

C'est ainsi que je vécus la plus dramatique et la plus belle des expériences : la naissance de Marcelle !

Manman tient son gros ventre et elle crie. Je vois qu'elle a un malaise. Elle se précipite dans la chambre à coucher et elle me souffle :

– Je vais accoucher !

Qu'est-ce qu'accoucher ? Certes, il m'est arrivé de fredonner des chansons avec des *akouché pa dou !* J'ai vu des scènes d'accouchement dans les films mais, chaque fois que je me raidis pour bien suivre le déroulement des choses, l'image progresse et on ne voit qu'un personnage tendant un bébé à une mère radieuse. Qu'est-ce qu'accoucher ?

Je ne panique pas. Sérieux comme un pape je vais demander de l'aide aux voisines :

– Manman va accoucher !

Elles arrivent à toute vitesse et elles me mettent à la porte de la chambre. De temps en temps, la porte s'ouvre et l'on m'envoie chercher de l'eau, une serviette, du coton, etc. Un peu angoissé de ne pouvoir rien faire de décisif, je sors de la maison et sans pourquoi je m'abîme dans un pleurer. On m'appelle, on m'introduit. Je n'ose déposer mes pieds par terre. Je flotte comme un somnambule. Manman sourit. Je l'embrasse et j'embrasse Marcelle qui n'est qu'un rien de chair au visage aplati. Quelle affaire ! Avant, il n'y avait rien. Maintenant Marcelle est là avec une belle touffe de cheveux dorés sur son crâne cabossé. C'est ma sœur ! C'est ma petite sœur ! Amen !

Lorsque Guy-Claude et Thérèse rentrent de l'école, ils sont tout surpris d'apprendre que « Marcelle est arrivée ». Ils dansent. Ils font des macaqueries. Les voisines accoucheuses organisent pour nous une modeste fête. C'est avec un tourbillon de cris que nous saluons l'arrivée de Marcelle.

On a beau haïr le chien il faut, pour respecter la vérité, reconnaître qu'il a les dents blanches. Papa commence à nous manquer sérieusement. Sa sévérité de directeur d'école mise à part, nous le regrettons. Nous étions habitués à sa manière, sèche et autoritaire, de tirer son frein à main. Sa voix ne claque plus dans nos oreilles. Nous n'avons plus de chaussures d'homme à cirer, plus de voiture à laver. Nous nous sentons abandonnés, orphelins et nous comprenons que papa nous apportait une forme de sécurité. Son ombre plane et nous dirige. Manman ne dit rien mais nous devinons à sa façon de fredonner une berceuse pour endormir Marcelle qu'elle a le cœur gros et lourd.

Au sortir de l'école, nous découvrons une magnifique D.S. 19 garée devant la maison. Nous tournons autour d'elle comme des hannetons autour d'une lampe. A qui peut bien appartenir une pareille voiture ? Elle ressemble à un crapaud et nous sommes fascinés par sa légende. Nous entrons et nous crions en chœur :

– Manman, il y a une D.S. devant la porte !

Notre élan s'arrête brusquement. Papa est là, tout sourire avec Marcelle dans ses bras. Nous l'embrassons respectueusement et nous filons dans notre chambre. Le cabri n'a pas à se mêler des affaires du mouton et les timounes ne doivent pas s'occuper des affaires des grands-mounes !

Comme si rien ne s'était passé, comme si tout cela n'avait été qu'un coup de sabre dans l'eau, papa est revenu. Il a décharroyé...

A notre grande surprise, il n'est que câlineries pour Marcelle. Elle est son sucre d'orge, le coco de ses yeux, sa petite gâterie. Monsieur papa s'est métamorphosé en papa poule. Croyant la barrière de sa vigilance abolie nous tentons des traversées d'indiscipline, des marronnages, des transgressions d'interdits. Hélas pour nous, il n'en est rien ! Nous devons constater piteusement que papa fait préférence pour Marcelle.

Nous en sommes là lorsque papa est nommé directeur du collège de Saint-François. Nous charroyons de nuit, après que papa eut démonté tout seul les meubles de la maison. Entassés dans la D.S. parmi un désordre de baluchons nous prenons la route d'une nouvelle vie...

Chapitre quinze : Saint-François

Au début pour nous Saint-François n'est qu'un endroit. Une petite commune de pêcheurs avec des cases de travers, crochues, pleines des rhumatismes et balayées par tous les coups de vent, tous les cyclones, toutes les misères.

Une petite église qui fait la coquette non loin de la mairie. Un bord de mer non loin de chez nous. Une aubaine ce bord de mer ! Des poiriers frissonnent sous la brise en libérant un vol de fleurs que nous nous amusons à attraper, avec force contorsions, avant leur chute. Des pêcheurs fabriquent leur nasse avec des gestes délicats de chirurgien. Comme ils travaillent avec des fils métalliques, ils donnent l'impression de recoudre le vent. J'aime leur tranquillité, leur bonhomie et leur humour. Parfois ils chantonnent et leur vieux visage se déride. Ils semblent alors épouser les mouvements somptueux des malfinis qui tournoient au-dessus de la mer. Le bord de mer est aussi un lieu de promenade où se marient les rires d'enfants et les cris des oiseaux marins. Les vagues remuent l'âme du crépuscule tandis que le soleil s'affaiblit dans un lâcher de couleurs. Guy-Claude, toujours espiègle, a rempli de fleurs de poirier le casque colonial qu'un retraité tient derrière son dos en respirant l'air frais. Lorsque celui-ci remet son casque sur sa tête, il est tout étonné de voir tomber une pluie de fleurs.

Au loin nous apercevons le quai d'où les garçons plongent dans la mer. Ils sont tout nus au grand désespoir des gendarmes. Les mots d'indécence, d'attentat à la pudeur sortent de leur bouche comme de vieux épouvantails qui n'effraient personne. La mer ignore ces mots-là. Elle accueille en toute innocence toutes les nudités.

Peu à peu nous apprenons à connaître les personnalités du bourg. Jules Houllier, un colosse athlétique au regard fier. C'est le champion des courses cyclistes de la Guadeloupe. Les passionnés disent que c'est un rouleur qui réclame des parcours capables d'éreinter un cheval. Pourtant nous ne le voyons pas souvent sur son vélo de course. Il gare devant chez nous une Chambord bicolore, rouge et blanc, qui soulève notre admiration. C'est aussi un bagarreur et nous apprenons un jour qu'il a roué de ccups le garde champêtre. Nous ne savons pas pourquoi mais une chose est certaine c'est que le garde champêtre, tête tuméfiée, visage cabossé, bras cassé en écharpe, a perdu à nos yeux tout prestige malgré son uniforme.

L'épouse de Jules Houllier est une mâle-femme. Elle suit son mari à moto durant la cohue des courses cyclistes. Tout le bourg l'admire pour ses prouesses. Elle pilote la Chambord comme un homme et chaque fois qu'elle le peut elle met au défi les hommes de rouler plus vite qu'elle. Papa et elle ont fait un jour une course mémorable. D.S. contre Chambord, roues dans roues, prenant la vole dans un rugissement de moteurs, virant presque sur deux roues, épouvantant les poules, les chiens et les passants, se doublant, se redoublant, fendant l'air à coups de Klaxon, déchirant la robe du vent, grimpant mornes et mornes, dévalant, en vertige, des descentes, faisant chanter les roues à chaque virage, dérapant, voltigeant les feuilles, avalant les lignes droites, à toute. Tout cela pour arriver ensemble à Pointe-à-Pitre sans qu'il n'y ait (à notre grande honte) ni vainqueur ni vaincu. Dépité, papa lâche un :

– *Madanm lasa ka fè sosyé*[1] !

On murmure dans le bourg que c'est un *gadè-zafè*[2], plus prophète que Jésus-Christ, plus voyante qu'aucune qualité de voyante, de mage ou de sorcier. Chaque année elle meurt avec le Christ, les mains et les pieds ensanglantés. Elle ressuscite avec les cloches de Pâques. Une foule-moune défile devant son corps et s'en va en criant au miracle. Ne me demandez pas si c'est vrai ! Je n'ai pas vu, je n'ai fait qu'entendre dans la conque de la rumeur publique ! Tout ce que je sais, sûr et certain, c'est que Man Jules Houllier est une femme admirable qui fait lever le soleil avec un sourire.

Qui ne connaît pas Quèchequèche à Saint-François ? Que ceux qui ne le connaissent pas lèvent la main. Messieurs et dames, Quèchequèche était venu sur terre porté par un carnaval de paroles sans fin. Il avait plus de paroles qu'une radio émettant vingt-quatre heures sur vingt-quatre. Si les mots étaient des grains de sable nous dirions que Quèchequèche serait une plage. Quèchequèche traînait une chaîne de paroles plus longue que la circonférence de la terre multipliée par les trois cent soixante-cinq jours de l'année et remultipliée par les

1. Cette femme pratique la sorcellerie !
2. Voyante.

soixante ans de misère heureuse qu'il passa sur terre. Messieurs et dames, la parole de Quèchequèche pouvait tapisser tout le fond de l'océan et remplir toutes les bibliothèques du monde depuis le commencement jusqu'à la fin des temps. C'est derrière la parole qu'il trouvait la parole pour bâtir des histoires qui restaient en équilibre sur le bout de sa langue. Des histoires où un homme assis-couché-debout lisait sans lire un livre sans pages à la lueur d'une bougie éteinte alors qu'il faisait jour la nuit dans un temps sans temps de grand bonne heure le matin avant même que Dieu n'ait songé à créer le monde et avant même que le monde n'ait songé à créer Dieu dans le ciel éternel où l'univers qui n'était pas encore l'univers batifolait comme des papillons d'étoiles sans lumière sur les fleurs transparentes du vide sidéral invisible mais peuplé d'un chaos d'esprits sans conscience bousculant les atomes plus crochus que la manivelle qui mit en route le big-bang au bout duquel surgit Quèchequèche bien debout sur le souffle primordial et final d'une parole fondamentalement natif-natale de la tête d'épingle qu'on appelle la Guadeloupe en sa pointe extrême, dénommée Saint-François, face à la Désirade découverte par Christophe Colomb en grand désir de terre dans les eaux de la Caraïbe où s'emmêlèrent toutes les langues du monde comme à Babel ainsi qu'il est raconté dans la très sainte Bible dont la parole, malgré sa sainteté, ne dépassa jamais l'écriture orale que Quèchequèche traçait sur l'ardoise immense de l'infini du vent pour déjouer le silence de la mort toujours en embuscade dans la mangrove de la vie dont personne ne sait si c'est rêve ou réalité en dépit de tous les cauchemars qui vont et viennent telles des griffures sur la peau de l'histoire sans pour autant ni nous réveiller ni nous endormir nous laissant plus ababa, plus tèbè, que diable assommé par l'eau bénite n'ayant comme seul recours que la conjuration de paroles sans fin afin de faire en sorte que le secret de la création ne soit pas éventé dans l'esprit interrogateur et questionneur et paroleur des hommes et des femmes tous fils et filles d'Adam et Ève, eux-mêmes fils et fille de Dieu qui n'est qu'une parole indéchiffrée dans la bouche sans dents de Quèchequèche grand menteur devant l'Éternel mais qui disait que si lumière et ombre allaient ensemble comme deux bœufs tirant la même charrette alors vérité et mensonge c'était même pareil pour dire la parole du monde.

Moi-même, personnellement je l'ai vu mûrir la parole à l'en-bas feuilles de son imagination après l'avoir plantée dans le silence de son auditoire. Je l'ai vu caresser la parole comme un enfant caresse un jouet neuf un soir de Noël, l'amadouer avec force raclements de gorge (d'où son nom Quèchequèche), l'allumer avec le feu sec d'un bon verre de rhum, l'avaler comme une doucelette du dimanche, la restituer dans une vocalise de questions (hein ! qu'est-ce que vous dites de ça ?) l'envoyer-monter comme un drapeau de 14 Juillet, la multiplier en lucioles ou en voltige de feux d'artifice, la faire pétailler, roucouler, ronfler comme un vonvon, l'illuminer comme un cimetière à la Toussaint, lui donner des ailes pour voler, des palmes pour nager, des pieds pour danser.

Peu importe que Quèchequèche puisse enfouir sa parole dans une broussaille de barbe sale plus rêche qu'un tampon Jex. Peu importe que son visage soit un mélange discordant de rondeurs et de proéminences. Peu importe que ses jambes arquées comme des cerceaux de barrique le fassent rouler de maison en maison, de débit de la régie en lolo, de lolo en tripot et de tripot en petit matin où les yeux chiffonnés (papier crêche oui !), les traits tirés à la diable arrache ma barbe, il tombait ahuri dans un monde tout neuf (hier était bien loin !) et tout frais qu'il fallait bercer de chansons (tiens ! voilà Quèchequèche qui passe !) et réchauffer de paroles tièdes comme la mer.

Peu importe sa chemise d'une couleur de terre brûlée, peut-être toujours la même, ouverte à tout vent et laissant voir sur sa poitrine, pour tout dire velue, une myriade de poils bouclés comme des ressorts capables d'amortir toute parole adverse ou malveillante. Quant au pantalon, n'en parlons pas ! Un inusable kaki délavé par l'eau de mer, durci par le temps, lustré par des clairs de lune (bel beau temps pour les sérénades !) et troué par l'acide des jours maigres. Peu importe puisque certains jours Quèchequèche, on ne sait pourquoi, s'endimanche, défroisse les plis de son front, calamistre ses cheveux, fait le beau dans tout le bourg, une canne à la main, marchant raide à la manière d'une sérénissime majesté en laissant couler tout le miel de sa bouche. Il répète à qui veut l'entendre :

– *An pa chyen papa*[1] !

Le mot est repris par tous, les jeunes, les vieux, les avortons, les mûrissants, les enfants, les femmes et même les chiens errants. Car Quèchequèche est un lanceur de mots. Dès que les mots sont sortis de sa bouche, ils deviennent des formules magiques avec lesquelles on assaisonne toutes les phrases. Ne point s'étonner d'entendre :

1. Je ne suis pas un chien !

– Tu laves ta voiture !

– *An pa chyen papa !*

ou bien :

– Tu es bien gai aujourd'hui !

– *An pa chyen papa !*

ou encore :

– Mets tes chaussures !

– *An pa chyen papa !*

Parfois même on lance ça pour le simple plaisir d'être à la mode de Quèchequèche. Et parfois ça tourne mal. Ainsi, Guy-Claude, penché par la fenêtre qui donne sur la rue, s'écrie en me voyant arriver :

– *An pa chien papa !*

Mais le grand malheur pour lui c'est que papa venait juste après moi. Il prend la phrase au vol et s'imagine qu'elle lui est destinée. Mémorable raclée pour effacer pareille insolenceté !

Puis la formule s'use. Souillée par toutes les lèvres, elle n'a plus d'odeur ni de saveur. Elle ne veut plus rien dire. Banalisée par tant d'usage elle s'amenuise et comme un savon oublié dans une bassine d'eau, elle fond jusqu'à disparaître sans bulles. Il n'en reste que le souvenir, une sorte d'écho lointain, inaudible, insignifiant. Quèchequèche a beau dire qu'il y a trois choses que le Nègre n'aime pas faire : avaler un manger chaud, parler en français et porter des chaussures neuves, j'affirme que nous aimons les paroles neuves comme des chaussures neuves. Alors, nous attendons, nous guettons, nous prenons le vent de la parole. Et si Quèchequèche, devenu tout d'un coup stérile, nous privait de nouveautés ! Le vieux coquin joue avec nos nerfs. Il fait semblant d'être saoul, une semaine durant. Il feint d'oublier son contrat avec la parole. Il jubile de nos impatiences.

– Dis, Quèchequèche, la parole t'a quitté !

Il répond :

– La parole ne me quittera jamais car je suis né d'un crachat du bon Dieu et j'ai respiré la vie dans la trompette des anges. Avant les Dix Commandements, je parlais déjà mais si toute chair est bonne à manger, toute parole n'est pas bonne à dire bien que l'estomac de Quèchequèche, n'étant pas un Frigidaire, n'ait rien à cacher ! Beau passage, messieurs, beau passage !

Et c'est vrai que Quèchequèche lâche dans le bourg quelques obus qui peuvent faire voler en éclats des réputations. Surtout en ce qui concerne les femmes ! Tout ce qui se dit en chui-chui, croix-sur-bouche et paix-là peut ressortir amplifié et mis en musique par l'orchestre symphonique de Quèchequèche. Il ne dit pas la chose toute drue ou toute crue, il l'enrobe de mystères et lui fait un visage d'énigme. Que l'auditoire résolve !

Comme tel :

– Mme Untel prétendument belle tellement qu'elle croit avoir des ailes, mais je n'ai pas besoin de pelle pour ramasser la vaisselle laissée par elle dans l'escarcelle du père Abel car le ciel m'appelle si je mens : ce n'était qu'une paire de cornes !

Il suffit ! Tout de suite la nouvelle parole est partie à toute vitesse sur les langues les plus rebelles : « dans l'escarcelle du père Abel ! » Au lieu de nous exclamer : *« An kyou a-y*[1] *! »* lorsque quelqu'un fait une chute ou lorsqu'un but est marqué ou en comptant les points dans une bagarre, nous crions en chœur : « Dans l'escarcelle du père Abel ! » D'une part nous évitons une expression vulgaire et d'autre part nous dégustons la trouvaille de Quèchequèche.

Quèchequèche, pendant ce temps, cherche l'aubaine d'un causer – et tout causer qui se respecte s'arrose –, le trouve dans une case où la blague va et vient entre deux ou trois commères, ajoute son grain de sel (son sac de grains de sel, sa saline tout entière), déborde de commérages (malparler les absents a le bon goût d'une soupe de pattes-à-bœuf) et pour

1. Dans le cul !

finir confisque la parole. Un rara de semaine sainte ! Après un dernier coup, il avoue d'un air madré :

– Je cachais un travail, l'heure est passée, je peux mettre mes deux pieds dehors.

C'est que Quèchequèche a un talent. Il sait travailler en orfèvre la corne de bœuf ou l'écale de tortue. Avec un canif effilé comme sa langue, il fabrique des œuvres d'art. Des peignes pour ces dames, des boucles d'oreilles, des bracelets, des cure-dents ouvragés, des lélés, des presse-papiers, des boîtes à bijoux, des colliers, des coupe-papier, des broches, des cannes pour ces messieurs, des ceintures. Les dix doigts de Quèchequèche sont dix usines et chaque usine est multipliée par cent mille quand Quèchequèche est d'humeur. Il faut qu'il soit d'humeur sinon ce n'est pas la saison des tortues et les écales sont rares, il s'est blessé la main en tirant la sienne, il a perdu son canif préféré, ou bien tout simplement il prend son air le plus déterminé pour dire qu'il a déjà trop travaillé la semaine dernière et qu'il est en congé administratif et comme après ce seront les grandes vacances qui pourront être prolongées par un congé-maladie autant dire que ce n'est pas pour ces jours-ci. Il marronne, donne des *mascos*[1], change d'habi-

1. Esquives, feintes.

tude pour ne pas honorer une commande. Quand il est d'humeur, c'est le grand Quèchequèche, médaille d'or de la sculpture et de la ciselure de la corne de bœuf.

Au cours d'une promenade au bord de la mer Quèchequèche nous a appris comment faire un orchestre sans instrument.

Merveilleux Quèchequèche ! Avec un peigne et du papier fin il nous a enseigné l'art de l'harmonica. Avec un seau renversé, un manche de balai et une corde bien tendue, il nous a appris à faire une contrebasse. Une casserole ou un tiroir ont toujours été de merveilleux tambours. Une bouteille cognée avec une fourchette donne le son du triangle. La bouche fait le reste, c'est-à-dire trompette, boula-gueule, chœur et vocal. Nous partions dans de grandes orchestrations avec toute la passion de nos idoles Johnny Hallyday, Dick Rivers, Sidney Bechet, Harry Belafonte, Ray Charles et les Platters. De temps en temps nous dérapions vers un gwoka avec le sentiment de transgresser un tabou car c'était pour nos parents une musique de vieux-nègrebitations. Autant dire une musique sale, mal élevée, chargée de toutes les mauditions.

Hélas, nous perdîmes Quèchequèche trop tôt ! Une pleurésie emporta sa parole dans le tout-monde de la mort. Beaucoup de bruits circulèrent, on parla d'empoisonnement mais nul ne sut...

I pa té chyen, papa ! Toc ! Toc ! Toc !

– Qui est-ce qui frappe à ma porte ?

– C'est moi Bolo !

– Ah, Bolo ! Ne te gêne pas Bolo ! Entre ! Tu as ta place dans le cinéma de cette enfance !

Tes pas trébuchés, tout en déséquilibre. Une démarche de marin secoué par la houle. A moins que tu n'aies jugé un jour que la terre, aussi dangereuse que l'eau et le feu, ne mérite, elle aussi, d'être piétinée avec mille précautions car l'homme est sans appui en ce bas monde. Je ne sais quelle valse tu danses avec la folie ni quel tango t'emporte aux frontières du délire. Tu lèves bien haut le pied ayant toujours peur du vide de l'en-dessous et lorsque tu le déposes, ce n'est pas pour marcher mais pour mieux sentir la terre se dérober et trembler comme une souffrance dans un cœur en détresse. Je te regarde passer, ne comprenant pas encore que ta saoulerie permanente n'est que la dernière parade que tu as trouvée contre l'enfer insensé de la vie. Et puisque la vie n'est qu'un cirque qui passe en plantant ses quartiers dans le marécage de nos faiblesses, tu as choisi d'être clown. Un clown triste marchant sur les eaux de l'ivresse avec la gaucherie d'un ours qui danse. Je te regarde passer et je ris comme un petit fou de te voir tanguer au beau milieu de la terre ferme. Bolo est grainé ! Il est chargé à mort !

Eh oui, tu es chargé ! Tu gesticules devant l'école en répétant d'une manière pathétique toutes les leçons que tu n'as pas apprises dans le foutoir de ton enfance. Tu répètes ce que dit le maître d'école, nous on dit maître-l'école, ou bien tu dérives dans un discours sans frein pour aborder les virages du français.

– Zenfants vous êtes apprenez vos leçons pour avoir l'*insision* [1] ! Désobéissance n'est pas péché mais l'obéissance porté plis pour le jadin de demain. Moi, Bolo, qui connaître tous les catéchisse de la vivance, je vous dis : si vous n'êtes pas taisez-toi le maître a droit plicher ton derrière ! Sacré ti-scélérat !

Toute la classe rit, le maître d'école aussi et il faut que le garde champêtre, le même qui fut rossé par Jules Houllier, vienne t'enlever de là pour que le cours continue.

Je ne sais quel jour tu as plongé dans la saoulaison. Je sais comme tout le monde que tu boissonnes, laissant boire loin, très loin, derrière ta vie brisée.

Chaque matin on te voit passer avec Boline, te suivant à un mètre de tes talons. Vous êtes

1. Instruction religieuse.

attelés à la même mauvaise charrette où se tient en équilibre, sur le fil du soleil, votre commune malédiction. Vous passez en silence, n'ouvrant la bouche que pour vous assurer que l'air que vous respirez est bien réel et que vous n'êtes pas en plein cauchemar. Il arrive à Boline de pousser de petits cris sans raison. Tu la remorques, sans le faire exprès, dans le mal-tête d'un jour sans remède. Tu sais toi que tous les jours sont sans remède et que ce n'est pas le petit crachat d'argent qu'on lâche dans la main lisse des fonctionnaires qui va guérir quoi que ce soit. Ce n'est pas non plus le tiroir crasseux d'un lolo où il y a plus de paroles à vendre que de marchandises ni même la quinzaine que jette l'économe sur le comptoir de l'habitation. Il y a longtemps que les jeux sont faits. Depuis Christophe Colomb et en vérité il n'y a pas de bonnes places ni pour les Nègres ni pour les *zendyens-kalikata*[1]. Ou plutôt, il faudra plusieurs générations !

Tu n'as qu'une seule vie Bolo ! Alors tu as choisi de la brûler dans des roquilles de rhum pour rappeler à la vie que ton passage sur terre n'est qu'une erreur de plus dans laquelle Boline marine comme une vieille viande dans son jus noirci par les mouches du malheur. Tout ça je l'ai compris trop tard !

1. Indiens de Guadeloupe, originaires de Calcutta.

Pour le moment, je m'étonne que ta gueule soit si rose comme si le rhum décapait tes muqueuses. Je m'étonne que Boline te suive partout comme un petit chien et qu'elle ait fermé sa bouche sur un silence entrecoupé de petits cris insignifiants.

Le matin vous passez, l'un derrière l'autre. Vous laissez dériver vos corps *déchoukés*[1] dans une mer de pitreries remuée par les vagues des jurons.

Le soir vous repassez comme un film qu'on rebobine. Plus tassés, plus consternés par vous-mêmes, plus déchirés que des épouvantails, vous rentrez. Et parce que la nuit rend plus lourds les chagrins, tu exploses sur Boline. Tu l'injuries. Tu lui lances des pierres. Tu l'accuses d'être là, d'être toujours là, d'être encore là comme une mauvaise conscience. Boline, plus maigre qu'un fil de fer rouillé, se cache pour éviter les pierres puis revient prendre sa place dans votre convoi d'abominations. Le prêtre parle de l'enfer mais c'est en vous regardant passer chaque jour que Dieu fait que j'ai compris l'enfer !

Je suis un enfant. Le fils du directeur d'école. Je ne sais pas encore que vous m'apprenez comment l'être humain se laisse couler quand il a perdu la guerre de sa condition

1. Déracinés.

d'homme. Longtemps, j'ai cherché à comprendre jusqu'au jour où la vie m'a dit :

– Tiens, prends, ça c'est un malheur, débrouille-toi avec !

C'est pourquoi j'ai dit : « Entre Bolo ! Tu es chez toi dans le cinéma de cette enfance... » J'ai beaucoup ri autrefois en te regardant, maintenant je ne ris plus car « un homme qui souffre n'est pas un ours qui danse » !

C'est tout comme cette femme sans nom, sans dents, sans culotte et sans chaussures. Elle venait souvent déverser une volée d'ordures devant notre classe. Sa voix éraillée, épaissie par les vapeurs du rhum charroyait une charge de phrases bien pimentées. Elle s'en prenait au maître d'école en lui reprochant d'avoir volé son enfant, unique bonheur de ses entrailles.

Brusquement, elle mettait un chanter en l'air avant de plonger dans un modèle de silence plus lourd que toutes les déveines du monde. Son regard alors tournait à vide, perdu dans le gouffre sans fond d'une amertume qui lui chiffonnait les lèvres d'une manière méchante. Elle ne sortait de sa torpeur que pour hoqueter des saletés contre le directeur, lui aussi accusé d'avoir volé son enfant.

Le maire, l'administration, les gendarmes et

tous les hommes à grosses graines sauçaient dans la bave injurieuse de sa bouche. Elle pouvait rester là à rire durant des heures et des heures. Un rire (mais était-ce encore un rire ?) scandaleux comme la sirène de midi, strident plus qu'un coup de frein désespéré, cassé en mille petits éclats ou au contraire continu et plaintif. Un rire qui hérissait ma peau en chair de poule et qui mettait mon cœur à l'étau.

Je ne pouvais pas rire avec les autres tellement je me sentais transpercé jusqu'à la moelle par le piquois de sa souffrance. Elle m'atteignait comme une balle perdue dans un monde sans fusils. Parfois elle dansait avec des gestes obscènes en levant haut sa jupe pour bien exposer son derrière et son devant à la vue de tous. Elle nous invitait avec de gros mots à regarder les fesses d'où était sorti son enfant. Le maître d'école, raide comme un pain rassis, dégouttait d'une sueur verte à force de retenir sa gêne. Plus il feignait de l'ignorer, plus la femme gesticulait, injuriait et exhibait toutes ses affaires de femme-épave. C'était une femme tombée dans le caniveau du destin sans espoir de relevailles et malgré mon âge je percevais sa détresse de déboussolée.

Elle avait quitté les rails. Elle errait dans les coins et recoins de son ivrognerie. Seule, toute seule face à la risée du bourg. Je n'ai jamais connu son nom. Elle n'avait pas de nom. Elle venait là, devant notre classe, sortie de nulle part, chahuteuse, désordière, jongleuse de jurons et collectionneuse de mots sales. Tout et tout le monde avait viré sur elle un dos d'indifférence et de moqueries et, pour se venger, elle offrait à tous le pitoyable spectacle de sa déchéance avec l'obstination des mendiantes.

Il lui arriva, une fois, d'être plus excitée, plus hystérique, plus frénétique qu'à l'ordinaire. Elle déparlait, se roulait dans l'eau sale d'une parole toute pleine de dérespectation. Une parole au sentir frais. Comme elle lélait sa langue dans des injurier-manman trop salés, le maître d'école oublia sa raideur. Il s'emporta et voulut la chasser, l'envoyer-aller loin, loin, loin. Elle résista et se déchaîna encore plus. Le maître était sur le point de la bousculer et d'en venir aux égorgettes quand nous vîmes, stupéfaits, un de nos camarades se lever tout en larmes, sortir et tendre la main à cette déchirure de femme en lui murmurant avec une extraordinaire douceur :

– *Manman ! An nou alé ! Vini-w ! An ké méné-w*[1] *!*

Elle sembla se réveiller, surgir d'un autre

1. Maman ! Partons ! Viens ! Je vais t'accompagner !

monde. Elle baissa sur lui des yeux hébétés et son visage s'illumina d'une sorte de béatitude. Comme par miracle, elle obéit et le suivit sans dire un mot. Le maître, toute raideur cassée, ne put retenir un pleurer sans pourquoi. Il venait de comprendre. Nous venions de comprendre ! C'était la mère de notre petit camarade. Celui-là même qui riait avec les autres. Mais riait-il vraiment ? Souventement un rire ressemble à un pleurer ! C'était sa mère et personne ne le savait dans la classe ! Il n'avait jamais vécu avec elle car son père s'était remarié mais c'était sa mère ! Il avait gardé le secret en endurant nos rires, nos sarcasmes, nos malveillances. Aucune honte ne fut plus lourde à porter.

Je n'ai jamais revu ce camarade. Il ne revint plus dans notre classe et lorsque, de nombreuses années plus tard, je demandai de ses nouvelles, j'eus la douleur d'apprendre qu'il avait plongé dans l'océan de la folie.

Chapitre seize : Comme des poèmes tamouls

Au Lamentin, il y avait deux ou trois familles indiennes mais je n'avais jamais pris la hauteur de leur existence hormis lors des fêtes de la commune quand elles venaient présenter des danses pleines de clochettes, de miroirs, de tissus brillants sur le parvis de la mairie. Leurs chants me paraissaient une sorte de lamentation suraiguë accompagnée de tambourins qu'elles frappaient de façon monotone. Elles parlaient une langue étrange et j'avais beau ouvrir mes oreilles, elles ne recueillaient qu'une giclée de mots rapidement prononcés, sans aucune parenté avec le créole ou le français. Après les fêtes, je les oubliais car elles reprenaient l'apparence banale de tous les malheureux de la Guadeloupe.

C'est à Saint-François que je découvris la réalité indienne. Elle chantait avec des noms qui sonnaient comme des poèmes tamouls. Je les apprenais par cœur et je les récitais pour le plaisir de l'oreille. Les noms terminés par « samy » évoquaient pour moi le grelot d'une cloche musicale. Quand ils se terminaient par « carpin » ils s'apparentaient à des notes de tambour frappées avec le plat de la main. « Elou » à la fin d'un nom lui donnait toute la joie d'un vent espiègle dans la flûte des bambous. « Maya » et « akan » ajoutaient une aura de divinités mystérieuses. Ces noms interminables se déroulaient dans ma tête comme des rubans multicolores. Je les peignais en jaune safran, en rouge sang, en vert colombo en bleu ciel et ils devenaient des noms cérémonieux, longs et brillants comme des queues de paon.

Ainsi j'aimais prononcer le nom de mon ami Robert Raghounandan et j'aimais plus encore entendre parler de Marie Gojindévélou.

Robert était un garçon frêle qui paraissait flotter dans ses shorts et dans la vie malgré les fortes racines qui le reliaient à la section de Bragelogne. D'aspect réservé son visage s'éclairait d'un sourire plein de bonté à mon égard. Il était pour moi une fenêtre ouverte sur les campagnes de Saint-François que je connaissais mal. Il me chuchotait des histoires parsemées de petits rires qui étoilaient sa voix et renforçaient notre complicité.

Les morts de Saint-François reposaient dans deux cimetières bien distincts. L'un épousait une colline en face du collège et l'autre s'étalait à l'entrée du bourg, bercé par la mer de Raisin Clair. Je ne comprenais pas. Robert d'une voix douce où ne percait l'épine d'aucune révolte m'expliqua.

Dans des temps anciens, mais pas trop lointains, les Nègres se plaignirent des coutumes que pratiquaient les Indiens à l'égard de leurs morts. Ils leur offraient des repas le jour de la Toussaint et cela dérangeait les Nègres déjà peu enclins à aimer les Indiens. Pour eux, ce n'était ni plus ni moins qu'une profanation du cimetière. Une fois encore, des conflits opposant les uns et les autres allaient déchirer la commune. Peut-être même que le sang allait couler car on ne joue pas avec le respect dû aux morts. Un grand propriétaire indien offrit un terrain à ses frères de race pour leur permettre de pratiquer en toute quiétude leurs rites. Et depuis lors, il y avait le cimetière des Indiens et le cimetière des autres. Ceux-là même qui supportaient ensemble les tribulations de la vie prenaient des chemins différents après leur mort !

Ce fut pour moi une grande surprise ! Une

surprise d'autant plus grande que, dans notre classe à côté des nombreux Indiens, il y avait des mulâtres, des Noirs congos, des chabens, des *bata-zendyens*[1] des Blancs-France. Pourquoi tant de racisme à l'égard des seuls Indiens ?

Beaucoup d'expressions désobligeantes, sales, méprisantes même visaient à rejeter les Indiens dans la basse-fosse des préjugés les plus fous.

Il y avait cette chanson :

Vyé malaba la / vyé malaba la
Mwen hay mal la
Mwen enmé fimel la[2]

Il y avait cette parole pleine d'arrogance : *« Malaba kalikata ka manjé chien ! ou ka souflé asi li, i ka tonbé blip*[3] *! »*

Il y avait cette expression : *« Ou kontrolè kon malaba*[4] *! »*

Il y avait cette croyance imbécile : *« Pwel a fanm zendyen ka koupé lolo aw*[5] *! »*

De pareils propos empuantissaient la bouche des Nègres, eux-mêmes méprisés par les mulâtres et les Blancs, et semaient la haine

1. Métis de Noir et d'Indien.
2. Indiens affreux
 Je hais le mâle
 J'aime la femelle.
3. Les Indiens mangent du chien : d'un souffle on les fait tomber.
4. Tu te mêles de tout comme un Indien-malabar.
5. Les poils de la femme indienne te coupent le pénis !

contre les Indiens créoles. Révolté par tant d'injustice, je décidai de les aimer de toutes mes forces d'autant plus que mes parents m'élevaient sans une miette de racisme.

J'aimais Robert et je partageais avec lui le pain frais de l'amitié. J'aimais Marie d'un amour d'enfant où le rêve l'emportait sur la réalité. Notre amour n'était qu'une convention admise par nous deux sans d'autres gestes que le fait de lui tirer les nattes ou de lui glisser un billet doux de temps en temps. Elle avait pour moi la beauté d'une Vierge noire avec ses cheveux brillants et lisses, ses yeux malicieux et son sourire de Joconde. Un jour, sans crier gare, je la mordis en plein cours. Une lubie d'amoureux impuissant ! Elle n'a jamais su pourquoi ni moi non plus. Une autre fois à l'occasion des vacances de Pâques, je la rencontrai sur une plage et je lui volai un baiser. Ce fut le seul, l'unique qui réchauffa mon cœur durant cette période.

J'étais hanté par les cérémonies indiennes. Robert m'en parlait souvent. Je voulais voir ! Je voulais savoir ! Je voulais comprendre ! Nous eûmes la joie d'être invités à participer à un *maliémin*[1].

Nous fûmes accueillis comme des hôtes de marque par la famille qui organisait la céré-

1. Cérémonie en l'honneur de la Vierge noire.

monie. La mère nous expliqua qu'après avoir mis au monde huit filles elle souhaitait un garçon. Elle alla implorer la divinité en lui promettant, si elle exauçait son vœu, de lui offrir une cérémonie tous les deux ans. Le contrat était précis : trente cabris, vingt poules et des offrandes diverses. L'année suivante son ventre pointa et s'ouvrit sur la chair d'un ti-mâle à l'ergot bien dressé.

Ce jour-là, j'étais habité par une panique intérieure. Je dus dominer une tremblade d'angoisse. Dans ma tête s'entremêlaient des histoires de sorciers, de *kakwès*[1], de *gadèzafès*[2], de volants, de mofwazés, d'enfer, de paradis terrestre, de purgatoire, de maliémin et de Kālī.

Comment une divinité, même armée de quatre bras, trouvait-elle le temps de s'occuper des petits souhaits de tout un chacun ? Elle devait être terriblement puissante pour décider de la venue au monde d'un garçon, terriblement vorace aussi ! Pourquoi le bon Dieu que je priais chaque soir, que j'avalais chaque dimanche, ne me répondait jamais alors que celui-là faisait les quatre volontés de ses fidèles ?

J'avais entendu bien des choses. Comme quoi la richesse de M. Marassamy lui venait de

1. et 2. Voyants.

la toute-puissance de Kālī. Un étrange personnage que M. Marassamy. Il se déplaçait en charrette en laissant sous sa véranda une somptueuse Versailles noire qui ne sortait que deux ou trois fois l'an. Un avare de première classe ! Toujours vêtu à la diable-va-comme-je-te-pousse et toujours prêt à demander la charité. Il faisait de chiches achats dans les boutiques du bourg à la grande colère des commerçants et se délectait, en ses jours de largesse, d'un sandwich aux marinades qu'il n'aurait même pas partagé avec une fourmi ! Personne n'était dupe et le bruit courait qu'il prêtait de l'argent à l'usine de Sainte-Marthe lorsque les banques faisaient la sourde oreille. Le bruit courait aussi qu'il achetait ses tracteurs au comptant, tirant les billets d'une vieille valise en carton ! A croire que la valise fabriquait les billets !

– *Pa gadé-li ! I tini lajan kon pyès kann tini kann*[1] *!* murmurait-on sur son passage.

Et il passait, solitaire, sans aucune considération pour le genre humain, perdu dans les calculs de ses spéculations.

La divinité était très puissante et très sollicitée mais malheur à qui ne respectait pas ses engagements ! Elle reprenait tout et laissait derrière elle un cortège de contrariétés.

1. Il y a autant d'argent que de cannes dans un champ !

Tout le monde connaissait l'histoire de Samaveyenssamy. Un beau congre aux muscles bien dessinés, au regard clair et rieur, à la démarche bien chaloupée. Beau garçon même au point d'être jalousé par les autres qui l'accusaient de « charmer » les femmes. Pour de vrai, aucune femme ne lui résistait. Il séduisait de petites poulettes de seize ans. Il tournait la tête à des femmes de gendarmes blanches et dodues à souhait. Quelques grands-mounes avaient succombé sans honte. Mais son coup d'exploit fut d'ajouter à la liste de ses conquêtes une institutrice non seulement aristocrate mais encore d'une stupéfiante belleté. Elle croisait dans son corps plusieurs sangs qui, au lieu de se combattre comme cela se voit quelquefois, avaient décidé de donner le meilleur d'eux-mêmes. Ses cheveux bouclaient, ses yeux se voilaient sous des cils bien arqués, sa bouche charnue et nettement dessinée réclamait une présence de baisers. Inutile de parler de son corps. C'était un beau canot, avec des formes de pur-sang, taillé à merveille pour fendre la belle eau de la vie. Avec ça les tissus chantaient hosanna sur le balancement de ses hanches car elle portait la toile comme une déesse.

Tout Saint-François s'enflamma en voyant nostrom plastronner au volant de la décapotable de la belleté. Tout le monde se demandait comment une gracieuseté pareille avait pu perdre la tête pour un Samaveyenssamy qui n'était à tout prendre qu'un petit bata-zendyen sans instruction. Lorsqu'un jour il invita les uns et les autres à une cérémonie les choses devinrent claires pour tous. La princieuseté n'était rien d'autre qu'un cadeau des divinités à nostrom. Cela rassura quelque peu car il est difficile de concevoir qu'un seul coq puisse aimanter toute la belle volaille de la basse-cour.

Les années passèrent et le beau Samaveyenssamy, volage, léger, dépensier, en vint à négliger le respect des offrandes. Ou bien il se contentait de deux ou trois cabris vitement achetés, ou bien il ne respectait pas les dates et pis encore, parfois il oubliait.

D'abord l'institutrice commença à perdre la couleur de sa peau. Elle se dépigmentait par plaques blanches et repoussantes. Lorsque la « maladie » toucha son visage, son cerveau se mit à *locher*[1] comme une dent de lait sur le point de tomber. Peu à peu le petit fil de raison qui la retenait dans la réalité du monde s'usa et se cassa. En pleine classe, devant des élèves interloqués, elle se déshabilla, prétextant une chaleur infernale qui brûlait l'en-

1. Bouger.

dedans de son corps. Elle partit, couchée dans une ambulance, parmi un attroupement de *makos*[1] toujours prêts à se nourrir du malheur des autres.

Ensuite nostrom, lui-même, fut frappé par la main de Shiva en personne. Une odeur de pourri se dégageait de tout son corps. Il avait beau se laver avec des feuilles de lavande, se frictionner de haut en bas avec de l'eau de Cologne, s'arroser de toute espèce de lotion-grande-marque, l'odeur ne partait pas. Impossible de l'approcher et surtout impossible pour lui d'approcher la moindre donzelle. Comme si cela ne suffisait pas son coco d'or oublia de fonctionner. Shiva s'occupait malement de lui et bientôt, il n'eut d'autre recours que de s'exiler dans une petite case perdue au beau milieu d'un terrain délaissé. Les chiens, eux-mêmes, refusaient d'aller pisser là tellement la malédiction du lieu était forte. Un vieux prêtre indien prit l'affaire en main et lui conseilla d'aller faire un pèlerinage en Inde, pour supplier un pardon dans la terre même des divinités.

Samaveyenssamy partit un 14 juillet et ne revint qu'un an plus tard tout-à-faitement guéri mais il n'était plus que l'ombrage de lui-même. Il épousa en catimini une marchande

1. Badauds.

de poissons qui lui faisait avaler toutes les purges de son autorité de mâle-femme jusqu'à ce que la mort lui fît un clin d'œil définitif en attirant sa voiture sur un arbre de Belle-Allée.

L'ambiance de la cérémonie pesait sur ma tête comme un chargement de roches de rivière. Involontairement je me raidissais malgré le charivari de mes boyaux. Les tambours scandaient de façon monotone un rythme inquiétant. Les chants tamouls psalmodiés mettaient mes nerfs à vif. Nasillards, ponctués par des sons de clochettes et de triangles, ils vrillaient mes oreilles et secouaient mon esprit. Je hélai la protection divine en demandant à Dieu de me pardonner l'offense que je lui faisais d'être là dans ce monde de statues à quatre bras et à trompes d'éléphant.

Vint le moment du sacrifice...

Le cabri auquel le prêtre a passé une corde neuve autour du cou semble consentir par avance à sa mort prochaine. Il se tient immobile et raide sur ses quatre pattes, les narines agitées par un tressaillement, il attend. Le sacrificateur attend aussi. Il se concentre. Il n'est que recueillement sous ses vêtements blancs. Les tambours, un instant silencieux, redémarrent. Ils résonnent comme l'écho amplifié des battements de mon cœur. Tout est figé et la brise ralentit sa course. Soudain, le cabri tend son cou. Le fil du coutelas n'est plus qu'un sillage rectiligne qui tranche d'un seul coup, wap, la vie de l'animal. J'ai l'impression que le coutelas a traversé mon corps plus tendu qu'une corde de guitare. Le cabri plie les jarrets, se trémousse et meurt dans un frisson de douleur. La tête sanguinolente pend dans la main du prêtre. Il la dépose par terre. Les gros yeux du cabri me fixent par-delà la mort.

Une mort sans cri, sans pardon, qui s'éparpille en rosée de sang dans le rituel de la cérémonie. Autant de cabris, autant de cadavres ! Les têtes sont rangées les unes à côté des autres, sagement, stupidement, absurdement. Elles viendront hanter mes mauvais rêves. Secoué jusqu'à la nausée je me réfugie sous la véranda et j'essaie d'avaler mon épouvante.

Plus tard, gagné par l'ambiance de la fête qui suit, je déguste un colombo qui m'apaise. Quel colombo ! Il y a du masalé, du moltani, du piment. Les divinités, elles aussi, ont été servies sur des feuilles de bananier. Elles sont repues et nous festoyons sans remords.

Au cours du repas, deux prêtres se lancent un défi pour savoir lequel maîtrise le mieux la langue tamoule. Tout le monde se rassemble autour d'eux. Ils ne sont plus que deux coqs de combat. Ils s'envoient des phrases mystérieuses auxquelles personne ne comprend rien. Pourtant le public arbitre, compte les points, décerne les bonnes ou les mauvaises notes. Une hésitation, un tremblement anormal de la voix, un regard qui vacille, un embarras du geste ou, au contraire, la fermeté du ton, l'aisance dans le dérouler des phrases, la rapidité de la repartie, tout est pris en compte. Incroyable match où les arbitres ne connaissent pas une rognure de tamoul, ce qui ne les empêche pas d'officier avec le sérieux d'un jury de cour d'assises.

Dans la nuit obscure de la déperdition, nous avons navigué sans autre boussole que des bribes et des restes et à cause de cela nous avons le fétichisme de tous les savoirs...

J'ai eu en partage des dieux à quatre bras, des pierres à moudre les épices, des chants et des danses pour célébrer l'avant, des prêtres qui dansent sur le fil d'un coutelas, des offrandes de noix de coco, des saveurs de masalé, des senteurs d'encens et de benjoin. J'ai eu tout cela dans le tray de mon enfance et je ne l'oublierai pas.

Au début, Saint-François n'était qu'un endroit, qu'une commune de pêcheurs. A la fin, Saint-François devint notre vie !

Chapitre dix-sept : Traces d'école

Mon père portait toutes sortes de manœuvres pour sortir le cours complémentaire de son lamentable état. En fait de cours complémentaire, il avait hérité d'une série de classes disséminées dans des baraquements pourris du bourg. Pas d'école au vrai sens du terme, pas de professeurs sinon de nombreux instituteurs débutants, pas de matériel digne de ce nom et peu d'élèves à partir de la classe de fin d'études. En résumé une grande misère scolaire, excepté pour l'école des filles dont la directrice, toute dévouée à ses ouailles, native-natale de Saint-François, était chouchoutée par M. le sénateur-maire.

Pour commencer, mon père créa des effectifs en faisant passer en sixième ou en cinquième de nombreux élèves que l'on croyait perdus à jamais. Ensuite il exigea du vice-rectorat des enseignants qualifiés. Enfin il livra une bataille acharnée pour la construction d'un collège. C'était un homme de conviction et toute son énergie passait au service de son école. A force de ténacité et de volonté, il fit aboutir son rêve.

Le nouveau collège fut inauguré en grande pompe et nous appréciâmes le confort du logement des maîtres qui nous changeait de l'ancienne bâtisse que nous occupions au centre du bourg.

Mon père passait son temps à détacher les bœufs, les ânes, les moutons que les voisins attachaient dans la savane desséchée qui nous tenait lieu de cour de récréation. Il s'ensuivait des altercations, des injures et parfois des bousculades. En dépit de l'hostilité d'une partie de la population, rebelle à ses méthodes autoritaires, il avait une âme de bâtisseur et le collège était vite devenu sa pyramide d'Égypte, sa cathédrale et son royaume.

Il se mettait à l'entrée de « son » établissement et réprimandait sèchement un professeur en retard. Il interdisait à quiconque d'y pénétrer sans son autorisation. Il inspectait les portes, les fenêtres, les salles de classe, les robinets avec la vigilance d'un gardien. Toujours en lutte contre les inspecteurs, contre les enseignants, contre les parents d'élèves, contre les élèves, il utilisait les armes de son autorité naturelle pour gagner ses batailles. La D.S. noire tournoyait dans le bourg, descendait à Pointe-à-Pitre au vice-rectorat, remontait à Saint-François semant partout une crainte respectueuse.

Il lui suffisait de marcher dans la cour, à l'heure de la récréation, pour convertir le brouhaha de nos rires, de nos cris, de nos jeux en un silence impressionnant. C'était à toute heure, en toute circonstance M. le Directeur.

A la maison régnait la même discipline qu'au collège et nous prenions garde de bien étudier nos leçons, de bien suivre toutes les recommandations liées à la bonne éducation, de bien jouer notre rôle d'enfant bien élevé.

Le soir, nous nous accrochions à la radio où nous recherchions une magie semblable à celle des contes de Nannine. Nous écoutions, hypnotisés, *Les Maîtres du mystère*. Nous dégustions des pièces de Marcel Pagnol. Nous buvions la parole jusqu'à l'engourdissement de nos esprits.

C'est à cette époque qu'une maladie étrange fit des ravages dans mon cerveau. Je contractai la rage de lire, de tout lire, de lire matin, midi et soir. Et lorsque toutes les lumières étaient éteintes, je me confectionnais une tente avec mon drap et un balai et je m'usais les yeux à la lueur d'une torche électrique. Le monde des histoires supplantait la réalité du monde. Je m'y plongeais avec toute la passion d'un pêcheur de perles. J'épousais la vengeance du comte de Monte-Cristo. Je pleurais sur les malheurs de Gervaise. J'épuisais des chevaux avec d'Artagnan. Le nez et le panache de Cyrano de Bergerac devenaient mon nez et mon panache. Je me prenais pour l'Aiglon, pour Mozart, pour le Cid. Sans avoir jamais visité la France j'avais respiré l'odeur de la Beauce, j'avais habité les ports de Pierre Loti, j'avais entendu la chanson des cigales de la Provence d'Alphonse Daudet, j'avais plongé dans les égouts du Paris de Victor Hugo. La bibliothèque du collège était là, à portée de main et je m'y goinfrais comme les géants de Rabelais. Parfois, je ne comprenais rien, je lisais quand même. Boris Vian, Jean-Paul Sartre, Malraux, Steinbeck, Hemingway et le plus étrange c'est qu'il y avait toujours un passage qui me marquait, qui sortait des pages du livre pour mener sa vie dans mon imaginaire.

Mes rédactions s'en ressentaient. On avait beau me demander : « Racontez votre soirée de Noël » ou « Faites-nous part d'une expérience que vous avez vécue », toujours je m'envolais dans un monde de dinde et de marrons glacés, de sapins et d'ifs, de cathédrales gothiques, de quais de gare et de bonhomme de neige. Un jour un de mes maîtres brisa la précieuse porcelaine de mon univers.

– Ernest, combien de temps avez-vous vécu en France ?

– Je n'ai jamais vécu en France, monsieur !

– Alors pourquoi vous ne parlez jamais des réalités de la Guadeloupe ?

Je demeurais bouche ouverte comme un *tèbè*[1]. Au fond de moi-même je pensai que le maître n'avait rien compris. Pour moi les réalités de la Guadeloupe n'étaient pas des réalités livresques. Elles n'avaient donc rien à faire à l'école puisque l'école c'était le royaume des livres. Le cochon que je voyais tous les jours ne pouvait entrer dans un livre mais tous les paons, les cigognes que je ne voyais pas m'enchantaient parce que je les avais connus par l'intermédiaire de beaux mots et de belles histoires.

Et puis, il y avait tous les livres de ma mère. Des encyclopédies pleines de photos qui illuminaient ma réalité. Des livres de cuisine dans lesquels je festoyais. Des livres d'histoire avec de vraies dates historiques, de véritables événements extraordinaires. La Guadeloupe n'était que mon présent, banal, quotidien, ordinaire !

Les livres n'étaient point des objets. Ils

1. Idiot, niais.

avaient une âme ! Ils avaient l'odeur des livres. Je humais, je respirais à pleins poumons, je m'enivrais. Les livres avaient la sorcellerie des mots. Je m'extasiais, je jonglais, je copiais, j'apprenais, je me délectais. Les livres avaient une épaisseur et lorsque l'histoire me paraissait trop belle et qu'il ne restait que peu de pages à lire, je ralentissais, je freinais, je prenais le temps d'épuiser l'épaisseur. Les livres avaient des secrets, des vices même. Ainsi un livre d'anatomie troublait ma bonne conscience. Certains livres devaient se manier comme des grenades explosives, d'autres étaient des bouquets de fleurs, d'autres encore vous enveloppaient voluptueusement comme des couvertures un jour de pluie. Il y avait des livres pour pleurer, des livres pour rire, des livres pour faire peur, des livres pour vivre trop fort, trop vite, trop bien. Il y avait les illustrations qui m'attiraient, me repoussaient, me parlaient. Et je touchais la « peau » d'un livre comme on caresse une fiancée. Un jour, j'en étais sûr, j'allais écrire !

Final

La vie se passait. Elle avait parfois l'odeur des poissons-coffres qu'Oric (un pêcheur des Saintes) faisait rôtir pour la plus grande joie de ma gourmandise. Elle avait le goût des grands dîners préparés par Man Sonson pour recevoir des grands genres de personne comme le sénateur-maire. Elle avait la détresse des jours de réprimandes et de fesses brûlées par les coups de ceinture. Elle avait la joie d'accueillir Marie-Erneste, dernière-née, dernière crasse des entrailles de maman, vitement baptisée par nous Manènè. Elle avait la folie des carnavals qui lâchaient dans les rues apeurées des masques-à-la-mort, des masques-à-cornes, des masques-congos, des *moko-djombis*[1]. Elle avait la piété des premières communions et des renonces (« Je renonce à Satan, à ses pompes et à ses œuvres. »). Elle avait la cadence du

1. Masques sur échasses.

calendrier scolaire. Elle avait la monotonie des leçons à apprendre, des devoirs à faire. Elle avait la voix de maman nous donnant des dictées en détachant chaque syllabe et en insistant pesamment sur les liaisons.

– Le-la-pin-de-ga-ren-ne s'é-bat-tait-ten-ca-den-ce, point-virgule...

« Seigneur qu'est-ce qu'une garenne ? Comment ça s'écrit ? Seigneur si tu me dis je promets de mettre un petit targent à la quête ! Seigneur viens à mon secours ! Le lapin de graine se battait en car danse... Seigneur j'ai fait ce que j'ai pu ! Je ne suis pas bœuf ! »

La vie avait mon orgueil d'être le premier de la classe. Je m'éclatais en pleurer si j'étais second et les yeux de mon père devenaient franchement mauvais si j'étais troisième. Être quatrième c'était rentrer au bagne !

La vie avait la turbulence des faits divers. Un incendie. Un coup d'acide dans le visage de quelqu'un. Le bateau de Gaspardo qui chavire en semant des noyés. Des accidents de voiture. Et toujours le même *ouélélé*[1], la même stupeur, le même chagrin.

La vie avait le mystère d'une assiette remplie de crapauds morts, de chapelets, de bougies, trouvée dans la terreur d'un Trois-Chemins. Un quimbois oui !

1. Charivari.

L'enfance avait l'immensité de la mer. Je croyais qu'elle ne finirait jamais, qu'elle serait toujours cette communion de pleurs et de rires avec mes frères et sœurs. Cette éternelle conspiration contre les grandes personnes. Cette connivence avec le présent. Cette fête permanente de la vie. « Quand je serai grand », disais-je les mauvais jours mais je savais que les grandes personnes n'avaient jamais été des enfants – sinon pourquoi nous battaient-elles quand nous faisions des bêtises ? – et que les enfants ne seraient jamais de grandes personnes – sinon pourquoi faisaient-ils des bêtises ?

« Ce que tu ne connais pas est plus grand que toi », disent nos vieux corps. C'est une parole que je rumine encore. Un jour la vie a basculé. Un grand hôtel a été construit à Sainte-Anne. Un Prisunic avec un escalier mécanique a ouvert ses portes à Pointe-à-Pitre. Un feu rouge a été installé à la rue Frébault. Le Boeing a déposé ses réacteurs sur la piste du Raizet.

La Guadeloupe larguait les amarres. Elle prenait le large et allait au-devant d'un désarroi de malheureux endimanchés. Les usines mouraient les unes après les autres, décimées par ce temps-là qui s'annonçait en traître.

Un jour les contes de Nannine ont eu peur

de l'électricité. Un jour grand-père Réache est mort. Un jour la ville a crié plus fort que les tambours des mornes et des bitations. Un jour une vieille femme a couru dans les rues de Pointe-à-Pitre en hurlant, les mains sur l'épouvante de sa tête :

– Je vois du sang sur la Guadeloupe !

Et un jour un Boeing transportant des étudiants, l'écrivain Albert Béville et le député Justin Catayé est venu s'écraser sur les hauteurs de la Soufrière.

Ce jour-là, j'ai pleuré la mort de mon enfance en enfilant mon premier pantalon.

La vie a pris un autre virage. Elle est entrée sans même dire « Excusez-moi ! » dans une autre mangrove plus salée que morue salée. Les manguiers de la cour du lycée Carnot ont recueilli mes premiers poèmes et dans une salle obscure je me suis évertué, en vain, à jouer mon mal de vivre sur un violon d'étude.

Dehors, le vent créole passait, balayant sans pitié le temps de cette enfance qui fut une coulée d'or...

Capesterre-Belle-Eau,
le 16 octobre 1994

L'auteur

Ernest Pépin est né le 25 septembre 1950 à Lamentin, en Guadeloupe. Après des études de lettres à l'université de Bordeaux, il enseigne pendant de nombreuses années, tout en prenant une part active à la vie culturelle de la Martinique comme producteur d'émissions littéraires, conférencier et poète. Depuis 1985, il occupe le poste de directeur des Affaires culturelles, sportives et du patrimoine au Conseil général de la Guadeloupe. Il a publié plusieurs recueils de poésie et un roman, *L'Homme au bâton* (Gallimard), qui a reçu le Prix des Caraïbes.

COLLECTION PAGE BLANCHE

DÉJÀ PARUS

Nathalie Babbitt Les yeux de l'amaryllis
Pierre-Marie Beaude Le muet du roi Salomon
Azouz Begag Quand on est mort, c'est pour toute la vie
Peter Benson Quelque chose pourrait arriver
James Berry Un voleur au village
Gisèle Bienne Les jouets de la nuit
Jean-Noël Blanc Fil de fer, la vie
François Bon Dans la ville invisible
Luis Bonet Une auberge espagnole
Jean-Pierre Cannet Les vents coudés
Ilie Constantin La chute vers le zénith
François Coupry Le fils du concierge de l'Opéra
François Coupry Monsieur l'archéologue
Didier Daeninckx A louer sans commission
Catherine Desprez Une absence
Xavier Deutsch La nuit dans les yeux
Berlie Doherty Cher inconnu
Chris Donner Le chagrin d'un tigre
Jaco van Dormael Toto le héros
Alicia Dujovne Ortiz Le sourire des dauphins
Frédéric Fajardie Au bord de la mer blanche
Jacques Fansten La fracture du myocarde
Jacques Fansten Roulez jeunesse !
Feng Ji Cai Que cent fleurs s'épanouissent
Galit Fink/Mervet Akran Sha'ban Si tu veux être mon amie
Suzanne Fisher Staples Shabanu
Suzanne Fisher Staples Haveli

Sylvie Florian-Pouilloux Combien fragile était leur monde
Sylvie Florian-Pouilloux Des vérités d'avril
Jane Gardam Une éducation sentimentale
Sheila Gordon En attendant la pluie
Bette Greene Petits miracles en Arkansas
Claude Gutman La maison vide
Claude Gutman L'hôtel du retour
Claude Gutman Rue de Paris
Yves Heurté Le passage du gitan
Toby Knobel Fluek Souvenirs de ma vie dans un village de Pologne
Gérard Herzhaft Un long blues en la mineur
Gaye Hiçyilmaz Ankara, ce printemps-là
Russel Hoban L'automate et son fils
Janni Howker L'homme aux œufs
Yves Hughes Vieilles neiges
Hervé Jaouen Le cahier noir
Thierry Jonquet Un enfant dans la guerre
Dominique Ladoge Comme un bateau, la mer en moins
Tatiana Lougovskaïa Nous n'étions pas seuls à grandir
Michel Lucet Divisé par deux
Margaret Mahy Les ensorceleurs
Margaret Mahy Le secret de Winola
Manz'ie/Reiser Une nuit sans dormir
Jan Mark Moi aussi on m'a adoré
Jan Mark Un sac d'embrouilles
José Maria Merino L'or des songes
Pierre Mezinski Le roi des Oropaldes
Hubert Mingarelli Le bruit du vent
Hubert Mingarelli La lumière volée
Irène Nemirovsky Un enfant prodige
Mette Newth Les voleurs d'hommes
Jean-Paul Nozière Un été algérien
Jean-Paul Nozière Retour à Ithaque

Jean-Paul Nozière Bye-Bye Betty
Jona Oberski Années d'enfance
Zibby Oneal Le langage des poissons rouges
Zibby Oneal Lumière d'été
Els Pelgrom Les enfants de la huitième forêt
Els Pelgrom J'irai toujours par les chemins
Ernest Pépin Coulée d'or
Peter Pohl Jan, mon ami
Gérard Pussey Ma virée avec mon père
Éric Rochant Aux yeux du monde
Marc Salzman Le fer et la soie
Leigh Sauerwein Sur l'autre rive
Aranka Siegal La grâce dans le désert
Aranka Siegal Sur la tête de la chèvre
Grégoire Solotareff Les filles ne meurent jamais
Télérama/Gallimard Lettre à l'écrivain qui a changé ma vie
Carole Tremblay La douce revanche de Madame Thibodeau
Sylvia Waugh les Mennym
Robert Westall Le vagabond de la côte
Joëlle Wintrebert Les diables blancs